Y GÊM

Y Gêm

Nofel am Heddwch yng nghanol y Rhyfel Mawr

Gareth F. Williams

Darluniau gan Chris Iliff

Gwasg Carreg Gwalch

Argraffiad cyntaf: 2014
© testun: Gareth F. Williams 2014
© darluniau: Chris Iliff 2014

Rhif Llyfr Safonol Rhyngwladol:
978-1-84527-496-2

Cyhoeddwyd gyda chymorth Cyngor Llyfrau Cymru

Dylunio: Eleri Owen

Cyhoeddwyd gan Wasg Carreg Gwalch,
12 Iard yr Orsaf, Llanrwst, Dyffryn Conwy, Cymru LL26 0EH.
Ffôn: 01492 642031
Ffacs: 01492 642502
e-bost: llyfrau@carreg-gwalch.com
lle ar y we: www.carreg-gwalch.com

Argraffwyd a chyhoeddwyd yng Nghymru

Er cof am fy nhaid,
Sam Finley Williams ('Sam Post'), Caernarfon,
a fu yno yn y Ffosydd

Mae'r hen delynau genid gynt
Ynghrog ar gangau'r helyg draw,
A gwaedd y bechgyn lond y gwynt,
A'u gwaed yn gymysg efo'r glaw.

'Rhyfel', Hedd Wyn

Prolog

Cae Pen-rhos,
Gaeaf 1934

'Dowch, hogiau! Dach chi ddim yn trio! Chwaraewch y gêm!'

Y prynhawn Sadwrn hwn yn niwedd mis Chwefror, dim ond un person oedd yno'n gwylio'r gêm bêl-droed. Swniai ei lais yn fain ac yn fregus, fel llais hen ddyn, wrth i'r gwynt ei chwipio dros y cae at y chwaraewyr.

Waeth i chi heb â gweiddi, Nhad, meddyliodd Huw. Does yna neb yn gwrando arnoch chi. Dylech chi fod wedi aros adra, yn hytrach na hercian yma fel hyn mor styfnig. Adra efo'ch llyfrau a'ch barddoniaeth, adra o flaen y tân.

Felly gwrthododd edrych i gyfeiriad y ffigwr unig a bwysai ar ei ffon ar ymyl y cae, a hwnnw fel hen ŵr wedi'i lapio mewn côt fawr laes a thrwchus, sgarff wedi'i chlymu am ei wddf a chap gwlân wedi'i dynnu i lawr dros ei glustiau.

A'i lygaid, gwyddai Huw, wedi'u hoelio arno fo.

Cefnodd Huw arno a cheisio canolbwyntio ar y gêm. Ond roedd geiriau ei dad yn ddigon gwir – doedd neb fel petai'n trio'n galed iawn heddiw. Gêm ddi-ffrwt oedd hon, os bu un erioed. Llanaber yn erbyn Bryn Helyg, a neb wedi sgorio hyd yn hyn. Neb wedi dod yn agos at sgorio, a phob cyfle prin yn cael ei wastraffu gan gicio llipa, blêr.

Y tywydd – dyna be oedd yn bod. Roedd hi'n gythreulig o

oer, ac edrychai'r ddau gôl-geidwad fel tasen nhw'n fferru. Roedden nhw wedi treulio'r rhan fwyaf o'r gêm yn ceisio cadw'n gynnes drwy fflapio'u breichiau i fyny ac i lawr fel dau bengwin yn ceisio hedfan.

Ond er gwaetha'r oerni, yma roedd ei dad.

Eto fyth.

Byddai'n dod i wylio pob un gêm, bob tro y byddai Llanaber yn chwarae 'gartref' yma ar gae Pen-rhos. Yma byddai o'n ddi-ffael, y fo a'i ffon, a'i lais gwantan yn gweiddi o ymyl y cae.

Y llais oedd yn dod â dagrau i lygaid Huw, yn enwedig ar ddyddiau oer a chreulon fel heddiw, oherwydd gwyddai fod gwefusau ei dad yn sibrwd cyfarwyddiadau wrth y chwaraewyr di-hid.

A bod ei law wedi'i chau'n dynn, dynn am ei ffon nes bod esgyrn ei figyrnau i'w gweld yn wyn dan y croen.

A'i fod o'n ysu am gael torri'r ffon yn ddwy a lluchio'r darnau i'r gwynt cyn rhedeg ar y cae ac ymuno yn y gêm.

Ond, wrth gwrs, doedd o ddim yn gallu gwneud hynny – diolch i'r fwled Almaenig oedd wedi llosgi llwybr igam-ogam, chwilboeth drwy ei goes ugain mlynedd yn ôl. Y fwled a ddaeth o fewn dim i'w ladd, ynghyd â'r mwd a'r baw a ruthrodd i mewn i'w goes wrth i'r gwaed fyrlymu ohoni.

Y fwled a roddodd derfyn ar ddyddiau chwarae pêl-droed ei dad, unwaith ac am byth, fel na fedrai o bellach wneud dim byd mwy na sefyll ar ei ben ei hun ar ymyl y cae, a gweiddi, 'Dowch, hogiau! Dach chi ddim yn trio! Chwaraewch y gêm!'

*

'Fedrwch chi gael gair efo fo, Mam?' gofynnodd Huw ar ôl mynd adref y noson honno.

'Huw bach, tydw i wedi trio a thrio? Rwyt ti'n gwbod sut un ydi dy dad – yn styfnig fel mul. Fasa waeth i mi siarad efo'r wal acw ddim.'

Siaradai'r ddau'n dawel. Gwyddai Huw fod ei dad yn styfnig ond roedd o hefyd yn clywed fel cadno, a dim ond pared y parlwr oedd rhyngddo fo a Huw a'i fam.

'Mae o'n mynd drwydda i, ei weld o'n sefyll yno ar ei ben ei hun bach – ac yn y tywydd yma. Go brin fod yr oerni yma'n gneud unrhyw les i'w goes o.'

'Wn i, wn i,' ochneidiodd ei fam. 'Ond mi fasa fo'n torri'i galon os na fasa fo'n cael mynd i wylio ambell gêm bêl-droed bob hyn a hyn.' Gwenodd ar Huw dros ei sbectol. 'Hyd yn oed os mai rhyw bethau anobeithiol fel chi sy'n chwarae.'

Aeth ei fam yn ôl at ei gwnïo, ond meddai, ymhen ychydig, 'Well i ti nôl chwaneg o lo ar gyfer y tân 'ma, Huw. A dau neu dri o flociau.' Rhoddodd ei gwnïo i lawr ar y bwrdd cyn codi o'i chadair. 'Mi ro' innau'r teciall ymlaen i ferwi cyn galw ar dy dad. Ma'r hen wynt yma wedi codi, a dwi ddim isio iddo fo ddechrau hel meddyliau. Ti'n gwbod sut mae o pan fydd y gwynt yn uchel.'

*

Ond roedd ei gŵr eisoes wedi dechrau hel meddyliau.

Mynd drwodd ydi'r peth gorau i'w wneud, meddyliodd Alun Gelli. Mynd drwodd i'r parlwr cefn a chynnal sgwrs neu wrando ar y weiarles; efallai fod cyngerdd o ryw fath ymlaen.

Dim ots be. Unrhyw beth i fynd â'm meddwl oddi ar sŵn y gwynt.

Roedd y gwynt wedi codi wrth iddi ddechrau nosi, ac erbyn hyn roedd yn chwibanu'n uchel ac yn fain o gwmpas y tŷ, fel petai yna ddwsinau o ysbrydion y tu allan yn sgrechian am gael dod i mewn o'r oerni.

Ceisiodd Alun ganolbwyntio ar y darn papur o'i flaen. Cerdd newydd, ac er bod y llinell gyntaf wedi dod yn weddol hawdd, doedd yna'r un arall wedi dod ar ei hôl.

Ac ar y gwynt roedd y bai.

Neu, yn hytrach, arno fo'i hun am iddo ddechrau gwrando ar y gwynt oedd yn cario'r lleisiau i'w glyw. Lleisiau a fyddai'n llenwi ei ben nes iddo deimlo fel petai o bron â drysu.

Lleisiau'n gweiddi mewn poen, lleisiau dynion a hogiau ifanc yn griddfan ac yn sgrechian. Lleisiau'n crefu ar i rywun ddod i'w helpu, yn gweiddi am eu mamau ac yn gweddïo am gael marw.

A'r gwynt yn chwibanu ac yn sgrechian yn ddi-baid, fel petai o'n cael hwyl iawn am eu pennau wrth ddynwared sŵn y sieliau.

Rhoddodd Alun ei bensel i lawr ar ei ddesg. Roedd ei ddwylo wedi dechrau crynu. Weithiau, byddai'n eu gwthio o dan ei gluniau ac yn eistedd arnyn nhw nes bydden nhw'n llonyddu. Gwyddai na fyddai hynny'n gweithio heno; byddai'n gallu eu teimlo nhw'n symud dan ei goesau fel dwy lygoden fawr mewn sach. Ia, mynd drwodd i'r parlwr cefn oedd y peth gorau i'w wneud, meddai wrtho'i hun.

Ond cyn codi, agorodd un o ddroriau ei ddesg. Yno, dan bentwr o hen ffeiliau oedd yn ymwneud â'i waith bob dydd fel arolygydd ysgolion, yr oedd yr hen lyfr copi a fu ganddo ers pan oedd o'n ddeg oed. Roedd golwg go garpiog ar yr hen lyfr erbyn hyn, ond dyma'r peth cyntaf – heblaw am ei wraig a'i fab – y byddai'n ei achub petai'r tŷ ar dân. Roedd yn bwysicach iddo hyd yn oed na'r holl gadeiriau barddol a safai yn erbyn y muriau drwy'r tŷ, cadeiriau roedd o wedi'u hennill mewn gwahanol eisteddfodau dros y blynyddoedd.

Yn hwn yr oedd ei gerddi cyntaf un.

Trodd i'r dudalen gyntaf, a darllen:

Roedd Alun y Gelli a Tecwyn Tŷ'r Nant
Yn dipyn o laciau pan oeddan nhw'n blant.

Ei gerdd gyntaf un. Gwenodd, yna edrychodd yn nerfus – na, yn ofnus – i gyfeiriad y ffenest. Diolchodd fod y llenni ynghau, oherwydd gallai fod wedi taeru iddo glywed, dros udo aflafar y gwynt, sŵn arall yn dod o'r tu allan.

Sŵn tebyg i ewinedd yn crafu ar wydr y ffenest, fel petai rhywun yno'n dyheu am gael dod i mewn i'r tŷ.

Gwyddai pwy oedd yno.

Neu, yn hytrach, beth oedd yno.

Caeodd y llyfr, cyn diffodd y golau a mynd drwodd i'r parlwr cefn at glecian y tân a lleisiau cysurus ei wraig a'i fab.

Gyda lwc, meddyliodd, byddai'r gwynt wedi gostwng erbyn iddo fynd i'w wely.

Byddai'r lleisiau wedi distewi, a'r ysbrydion wedi mynd.

Tan y tro nesaf.

RHAN 1

Dau Hogyn

Roedd Alun y Gelli a Tecwyn Tŷ'r Nant
Yn dipyn o lawiau pan oeddan nhw'n blant.

Yr Hen Dŷ

Er bod Eryri gyfan
Yn crynu yn y tes,
Pob tyddyn, fferm a phentref
Yn gorwedd yn y gwres,
Mae awel oer mewn esgyrn tŷ
Fel cysgod brân ddychrynllyd ddu.

Ac er bod cân yr adar
Mor swynol ag erioed
Wrth seinio'n glir ac uchel
O frigau glas y coed,
Nid oes un diwn na siffrwd plu
Yn gwella hagrwch yr hen dŷ.

Mae yma deimlad iasol
Mewn p'nawn a'i wres mor drwm,
Sibrydion rhyw ysbrydion
O fewn y muriau llwm;
Dan awyr las, mae awel oer;
Yn heulwen dydd, mae rhith y lloer.

Alun Gelli

Tŷ Marw

ER EI BOD yn brynhawn poeth yng nghanol mis Gorffennaf, teimlai Alun yn oer wrth iddo syllu ar yr hen dŷ. Roedd ei freichiau'n groen gŵydd drostyn nhw i gyd a rhwbiodd nhw'n galed.

'Wyt ti'n meddwl eu bod nhw'n wir?' sibrydodd Tecwyn, a daeth Alun o fewn dim i neidio fel sgwarnog. Roedd o wedi anghofio am eiliad fod Tecwyn yno hefo fo. Trodd a gweld bod Tecwyn hefyd yn rhwbio'i freichiau.

'Fod be'n wir?' gofynnodd Alun.

'Yr holl straeon am yr hen le yma,' meddai Tecwyn, a'i lygaid yntau wedi'u hoelio ar y tŷ.

'Nac 'dw, siŵr,' atebodd Alun, gan obeithio'i fod o'n swnio'n ddewr.

'Pam wyt ti'n sibrwd, 'ta?' gofynnodd Tecwyn.

'Am dy fod di'n sibrwd, yndê,' atebodd Alun yn biwis. Doedd o ddim wedi sylweddoli ei fod o'n sibrwd, dyna'r gwir amdani.

Cliriodd ei wddf. 'Am dy fod di'n sibrwd,' meddai eto a heb sibrwd y tro hwn.

Swniai ei lais yn annaturiol o uchel, a bu bron iddo neidio eto wrth i Tecwyn gydio'n sydyn yn ei fraich.

'Tecs!'

'Hisht! Gwranda!'

'Be?'

'Gwranda!' sibrydodd Tecwyn yn ffyrnig.

Gwrandawodd Alun. O'r diwedd, meddai, 'Chlywa i ddim byd.'

'Yn hollol,' meddai Tecwyn. 'Dyna'r peth, yndê? Does yna'r un deryn yn canu yma.'

Roedd o'n iawn, hefyd. Pan gerddodd y ddau yma drwy'r goedwig, roedd y brigau a'r canghennau uwch eu pennau'n fôr o gân.

Ond yn awr, doedd yna'r un smic i'w glywed.

'Pam, sgwn i?' gofynnodd Alun, heb sylwi ei fod o'n sibrwd unwaith eto.

'Yr hen le 'ma,' sibrydodd Tecwyn yn ôl. 'Dydi o ddim yn licio clywed yr adar yn canu.'

Syllodd y ddau hogyn ar y tŷ gyda'r teimlad annifyr fod y tŷ'n syllu 'nôl arnyn nhw. Adfail oedd o i bob pwrpas, ac roedd y rhan fwyaf o'r to a'r ddau gorn simdde wedi hen gwympo. Ond roedd tyllau gwag y ffenestri yn union fel llygaid mawr, du. A'r drws, y drws! Roedd hwnnw fel ceg agored yn chwyrnu arnyn nhw, y rhan fwyaf o'r pren wedi hen bydru gan adael darnau pigog ar ôl, a'r rheini'n ymwthio o ochrau ffrâm y drws fel dannedd miniog, milain.

'Ac mae o'n edrych fel hyn ar bnawn o haf,' meddai Alun. 'Sut goblyn mae o'n edrych ar noson o aeaf?'

'Dwi ddim isio meddwl sut mae o'n edrych ar noson o aeaf, Alun,' meddai Tecwyn, gan deimlo fel cicio'i ffrind yn ei ben-ôl. Roedd gormod o ddychymyg gan Alun Gelli, meddyliodd, ac nid am y tro cyntaf chwaith.

Ond mynnodd Alun gael gorffen. 'Efo'r gwynt yn chwibanu drwy'r coed, a'r brigau fel bysedd hen wrach yn

gwneud eu gorau i grafu wyneb dyn y lleuad.'

'Wnei di roi'r gorau iddi?' Llwyddodd Tecwyn i lusgo'i lygaid oddi ar yr hen dŷ. 'Tyrd. Dwi'n mynd.'

Trodd yn ei ôl am y goedwig, ond doedd o ddim wedi mynd yn bell cyn sylweddoli nad oedd Alun efo fo.

'Alun!'

Disgwyliai weld Alun yn troi ac yn dod ato, ond yn lle hynny camodd Alun o gysgod y goedwig ac yn nes at yr hen dŷ.

'Alun, be ti'n neud?'

Edrychodd Alun yn ôl arno dros ei ysgwydd. 'Dwi am fynd i mewn am sbec,' meddai.

Rhythodd Tecwyn arno. 'Be? Argol, ti'n gall?'

'Wyt ti am ddŵad efo fi, Tecs?'

Trodd Tecwyn ac edrych eto ar y tŷ. Gallai daeru bod y tyllau ffenestri duon wedi tyfu'n fwy, rywsut, fel petai'r tŷ wedi agor ei lygaid mewn syndod o weld bod rhywun yn ddigon gwirion i fentro mor agos ato.

Trodd yn ôl at ei ffrind. 'Mi arhosa i yma i gadw golwg arnat ti,' meddai.

'Iawn,' meddai Alun.

Siaradai'n swta oherwydd ei fod o wedi troi oddi wrth Tecwyn er mwyn cuddio'i siom: roedd o wedi gobeithio – wedi gweddïo – y byddai Tecwyn yn mynd hefo fo.

Fedra i ddim troi 'nôl rŵan, meddai wrtho'i hun wrth gymryd cam yn ei flaen, ac yna un arall, ac un arall wedyn: mi faswn i'n edrych yn rêl babi petawn i'n gwneud hynny. Ond ma' Tecs yn siŵr o alw arna i'n ôl ...

... unrhyw funud rŵan ...

... unrhyw funud.

*

Y peth oedd, doedden nhw ddim i fod yma, yr un o'r ddau. Dyn a ŵyr, roedden nhw wedi cael eu siarsio ddigon gan eu rhieni. Cofiai Alun ei dad, ychydig wythnosau ynghynt, yn gwgu dros fwrdd cegin ffermdy'r Gelli arno fo a Cadi, ei chwaer fach.

'Dydach chi ddim i fynd ar gyfyl yr hen dŷ yna,' meddai wrthyn nhw. 'Mae o'n beryg bywyd, hen adfail fel 'na. Mae 'na ddarnau o'r waliau a'r to'n syrthio drwy'r adeg, ac os bydd un o'r rheini'n syrthio ar eich pennau chi ...'

Roedden nhw ar ganol bwyta mefus i de, cofiai Alun, ac roedd Gwilym, ei dad, wedi rhoi cefn ei lwy ar un ohonyn nhw a gwasgu'r fefusen yn erbyn gwaelod ei ddysgl. Pan gododd y llwy, doedd yr hyn a orweddai ar waelod y ddysgl yn ddim byd tebyg i fefusen.

'Fel 'na fydd eich pennau chi'n edrych,' meddai.

Ond roedd yna straeon eraill am yr hen dŷ hwnnw yng nghanol y goedwig. Roedd Alun wedi holi Gorwest, gwas y fferm, amdanyn nhw un tro.

'Dydi o ddim yn iawn, rywsut,' meddai Gorwest am y tŷ.

'Ym mha ffordd?' gofynnodd Alun.

Gwthiodd Gorwest ei law dan ei gap stabal er mwyn crafu ei gorun moel.

'Dwn i'm. Tŷ marw ydi o. Ond dwi'n cofio, pan oeddan ni'n fach, ein bod ni i gyd yn cael ein siarsio i beidio â mynd ar ei gyfyl o.'

Roedd Alun wedi rhythu ar Gorwest. Nefi wen, faint oedd oed y tŷ yna? Gwyddai ei fod o'n hen, ond doedd o ddim wedi meddwl ei fod o mor hen â hynny.

'Doedd o 'rioed yno pan oeddach chi'n blentyn?' rhyfeddodd.

'Hei, faint wyt ti'n meddwl ydi f'oed i, y cena powld?' meddai Gorwest, gan smalio bygwth Alun â chefn ei law. 'Nid Methiwsela ydi f'enw i! Oedd, mi oedd o yno – ac yn edrych yn go debyg i'r ffordd mae o'n edrych heddiw, i chdi gael dallt.'

'Ond aethoch chi ar ei gyfyl o?' gofynnodd Alun.

Dechreuodd Gorwest edrych braidd yn annifyr.

'Wel ... do,' meddai o'r diwedd, 'ond ddim yn agos iawn. Roedd 'na griw ohonan ni'r hogiau ac roeddan ni i gyd yn herio'n gilydd, ond fentrodd neb ddim pellach nag ymyl y goedwig. Dwi ddim yn meddwl bod yr un ohonan ni wedi mynd yn agos ato fo ar ôl hynny.'

'Ond weloch chi ddim byd?' pwysodd Alun arno.

'Naddo, diolch i'r drefn,' atebodd Gorwest. 'Does dim raid i rywun weld neu glywed rhywbeth i gael ei ddychryn, 'sti. Weithiau, mae dim ond teimlo'n ddigon. Yn waeth, hyd yn oed.'

Nodiodd Gorwest yn ddwys. Doedd Alun ddim yn siŵr iawn beth oedd Gorwest yn ei feddwl, ond nodiodd yn ddwys arno'n ôl yr un fath.

'Dwi'n cofio Nain yn deud wrtha i – ac oedd, mi oedd o yno pan oedd hithau'n fach hefyd, cyn i ti ddeud unrhyw beth cas am oed pobol – dwi'n ei chofio hi'n deud mai tŷ *anlwcus* iawn oedd o. A doedd neb wedi gallu byw ynddo fo am hir iawn ...'

Petrusodd Gorwest am funud, cyn ychwanegu: 'Ond bod yna gryn dipyn wedi *marw* ynddo fo.' Edrychodd ar Alun. 'A'u bod nhw i gyd yno, o hyd.'

*

Yn awr, dôi geiriau Gorwest yn ôl i Alun wrth iddo symud yn nes ac yn nes at y tŷ. *Ond bod yna gryn dipyn wedi marw ynddo fo ... a'u bod nhw i gyd yno, o hyd.*

Cyrhaeddodd Alun y drws – a doedd Tecwyn byth wedi'i alw fo'n ôl. Trodd a gweld Tecwyn yn dal i sefyll yno yng nghysgod y coed a'i lygaid wedi'u hoelio ar Alun.

'Dwi'n mynd i mewn,' galwodd Alun.

Yr unig beth sydd isio i Tecwyn ei wneud rŵan ydi deud, 'Paid!', meddyliodd Alun; wedyn mi fasa gen i esgus dros droi a mynd yn ôl ato fo. Ond ddywedodd Tecwyn yr un gair. Felly, gan wthio popeth cas a glywodd o erioed am y tŷ i gefn pellaf ei feddwl, camodd Alun i mewn drwy'r twll danheddog yng nghanol y drws.

Roedd yna risiau cul, pren a simsan iawn eu golwg o'i flaen. Yn sicr, meddyliodd Alun, dwi ddim am fentro dringo'r rheina: does arna i ddim isio torri fy nghoesau na fy ngwddw.

Ond fedrai o ddim cael gwared o'r teimlad fod yna rywun yn cuddio o'r golwg ar ben y grisiau ...

... a throdd i ffwrdd cyn iddo weld wyneb y rhywun hwnnw-neu-honno'n sbecian i lawr arno.

Roedd yna ddrws agored i'w chwith, a chamodd yn ofalus i mewn i'r ystafell. Hon oedd y parlwr ar un adeg, meddyliodd, ond roedd pob dodrefnyn wedi hen fynd. Doedd dim byd ynddi hi'n awr ond rwbel a drain. Drain a dail poethion ym mhobman, hyd y llawr a dros y waliau.

Aeth yn bwyllog at y twll yn y wal lle arferai'r ffenest fod, flynyddoedd maith yn ôl. Roedd Tecwyn yn dal i sefyll ar ymyl y goedwig a golwg bryderus iawn ar ei wyneb.

Cododd Alun ei law arno. 'Ti'n gweld?' galwodd. 'Dwi'n tshiamp...'

Yna gwelodd wyneb Tecwyn yn llenwi efo braw. Cododd Tecwyn ei fraich a dechrau pwyntio at Alun, ond gyda bloedd o ofn, trodd a'i heglu hi nerth ei draed i mewn i'r goedwig.

'Be goblyn?' dechreuodd Alun ofyn iddo'i hun, ond yna sylweddolodd rywbeth.

Doedd Tecwyn ddim wedi pwyntio ato fo – ond at rywbeth y tu ôl iddo.

Ac wrth iddo feddwl hyn, teimlodd Alun y blew bach ar ei wâr yn symud fel petai yna bryfed cop yn cropian drwyddyn nhw. Roedd rhywbeth yno'r tu ôl iddo fo, fe wyddai – a'r peth olaf un roedd arno eisiau ei wneud oedd troi a'i weld.

Doedd ganddo ddim cof o gydio yn ochrau'r ffenest a'i lusgo'i hun i fyny ar y sil, ond mae'n rhaid ei fod o wedi gwneud hynny oherwydd yr eiliad nesaf roedd o'n neidio allan i'r awyr iach a'r heulwen – gyda'r teimlad ofnadwy fod yna rywbeth tebyg iawn i fys a bawd wedi ceisio tynnu cefn ei grys.

Carlamodd tua'r goedwig. 'Tecs!' gwaeddodd. 'Tecwyn!'

Ond roedd Tecwyn wedi hen fynd, a fuodd pethau byth yr un fath rhwng y ddau wedyn.

Wyau

'Sgwn i be rydan ni wedi'i neud i bechu yn erbyn Tecwyn Tŷ'r Nant yn ddiweddar?' meddai Mair Roberts, mam Alun.

Cododd Alun ei ysgwyddau. 'Dwi ddim yn gwbod, Mam.'

Gwyddai, heb edrych arni, fod ei fam yn craffu arno, ac er nad oedd Alun wedi dweud gair o gelwydd, gallai ei deimlo'i hun yn dechrau cochi.

Ond doedd o ddim yn gallu dianc na throi i ffwrdd. Ben bore oedd hi, ac yn tresio bwrw glaw. Roedd ei dad a Gorwest yn brysur yn godro, ac Alun newydd ddod yn ei ôl i mewn i'r tŷ ar ôl bod yn casglu wyau o'r cwt ieir. Safai yn y gegin a gwaelod ei siwmper wedi'i chodi i fyny er mwyn i'w fam allu pigo'r wyau cynnes allan ohoni fesul un. Felly roedd o'n gaeth yma nes byddai ei fam wedi cymryd yr wy olaf oddi arno.

Daliodd ei fam un wy brown a brith wrth ochr wyneb Alun. 'Rwyt ti'r un ffunud â'r wy yma'r dyddiau yma, Alun ni. Bron na fasa rhywun yn gallu dy fwyta di i frecwast. Torri dy gorun di i ffwrdd efo llwy.'

Gwenodd Alun, gan ddechrau gobeithio bod ei fam wedi dweud hynny roedd ganddi i'w ddweud am Tecwyn Tŷ'r Nant. Ond yna, meddai Mair: 'Mae o'n arfer byw a bod yma bob gwyliau, o gwmpas y lle fel rhyw ysbryd. Ond mae 'na dros wythnos, dwi'n siŵr, ers i mi ei weld o.'

Saib ddisgwylgar, ac Alun yn edrych i bobman ond ar ei fam. Yna'r cwestiwn roedd o wedi bod yn ei ddisgwyl ers dyddiau.

'Wyt ti'n siŵr nad ydach chi wedi ffraeo?'

'Be – ni? Naddo, siŵr!' taerodd Alun.

'Rwyt ti wedi cochi at dy glustiau.'

'Pwy, fi? Naddo, siŵr!' taerodd Alun eto, a'i wyneb fel tomato.

Mentrodd edrych ar ei fam. Roedd hi'n ei lygadu fel roedd Erasmus Williams, y gweinidog, wedi'i lygadu un tro yn y Band of Hope pan oedd o'n amau ei fod o wedi clywed Alun yn gollwng clamp o bwmp yn ystod y weddi.

Ochneidiodd Alun. 'Ylwch, dwi ddim wedi gweld Tecs i mi fedru ffraeo efo fo. Ddim ers ...'

Ers iddo fo redeg i ffwrdd o'r goedwig gan fy ngadael i yn yr hen dŷ hwnnw ar fy mhen fy hun, meddyliodd. Ond wrth gwrs, doedd o ddim am ddweud hynny wrth ei fam, nag oedd?

'... ers y tro dwytha i mi ei weld o,' meddai'n llipa. 'Ac roedd hynny dros wythnos yn ôl.'

'Hmmm.'

Roedd ei fam yn dal i syllu arno, yn amlwg yn amau bod rhywbeth wedi digwydd rhwng y ddau hogyn. O'r diwedd meddai hi, 'Hwyrach ei fod o'n sâl. Pam nad ei di i lawr i'r pentref fory?'

'Fory? O, wel, ymm ...'

'Rydach chi wedi ffraeo, yn do'r cnafon?'

'Naddo, Mam. Wir yr rŵan.'

Roedd Mair Roberts fel terier. Unwaith roedd hi wedi cael ei dannedd i mewn i rywbeth, doedd hi ddim yn gollwng ei gafael nes bod beth bynnag oedd o wedi cael ei setlo'n daclus.

'Reit,' meddai hi. 'Os ydi Tecwyn wedi bod yn sâl, mi fydd o'n falch o dy weld di, yn bydd? Yn enwedig os nad ydach chi wedi ffraeo. Felly mi gei di fynd i lawr i Dŷ'r Nant fory.'

Edrychodd Alun allan drwy'r ffenest ar y glaw.

'Os bydd hi'n dywydd gweddol,' meddai ei fam cyn iddo gael cyfle i ddadlau ymhellach. Pigodd y ddau wy olaf o siwmper Alun a'u rhoi yn y ddysgl, a meddyliodd Alun: Gyda lwc, mi fydd hi'n tresio bwrw fory eto. A drennydd. A'r diwrnod ar ôl hwnnw ...

Waeth i ti heb, Alun bach, meddai wrtho'i hun. Dydi Mam ddim yn debygol o roi'r gorau i'w hefru nes y byddi di wedi bod yn gweld Tecs, a dyna ben arni – hyd yn oed tasa hi'n tresio bwrw am ddeugain niwrnod a deugain nos.

Penbleth Alun

Ond roedd yr haul yn tywynnu drannoeth, a doedd gan Alun ddim dewis ond cychwyn i lawr am bentref Nantfechan yn fuan ar ôl brecwast.

Tua milltir a hanner o daith oedd hi rhwng fferm y Gelli a Nantfechan, lle roedd tad Tecwyn Tomos yn cadw tafarn Tŷ'r Nant. Efallai'n wir fod yr haul yn gwenu fel giât, ond gwgu ar bopeth a wnâi Alun wrth iddo gerdded ar hyd y lôn gul a arweiniai i lawr i'r pentref. Roedd o wedi torri cangen o'r gwrych ac yn ei defnyddio fel cleddyf i dorri pennau'r blodau dant y llew a dyfai ar hyd ochrau'r lôn. Bron y gallai weld y llafn yn fflachio yn yr haul – yn enwedig wrth iddo gymryd arno mai torri pen Tecwyn Tŷ'r Nant yr oedd o.

Be goblyn sy'n bod ar y mwngral Tecwyn yna? meddyliodd Alun. Y fi sydd i fod wedi llyncu mul hefo fo. Wedi'r cwbwl, Tecwyn oedd wedi pechu yn erbyn Alun drwy redeg i ffwrdd a'i adael o yn yr hen dŷ hwnnw ar ei ben ei hun – ond mi fyddai rhywun yn meddwl mai fel arall y digwyddodd hi, fod Alun wedi gadael Tecwyn yno.

Roedden nhw wedi ffraeo cyn hyn, wrth gwrs, dros bethau bychain, gwirion, ond roedden nhw'n ffrindiau'n ôl eto bob tro erbyn y diwrnod wedyn fan bellaf. Roedd hyn yn wahanol, teimlai Alun: doedd Tecwyn erioed wedi cadw draw o'r Gelli am dros wythnos.

Tybed beth yn union oedd Tecwyn wedi'i weld yn ffenest yr hen dŷ hwnnw? Er ei fod o wedi gwneud ei orau glas, roedd Alun wedi methu'n glir ag anghofio'r braw a'r dychryn a welodd yn llenwi wyneb Tecs wrth iddo godi'i law a phwyntio at ...

At be bynnag oedd yn sefyll y tu ôl i mi.

'Na!' meddai'n uchel.

Doedd arno ddim eisiau meddwl am y diwrnod hwnnw. Roedd o wedi cael andros o drafferth i gysgu'r noson honno, ac wedi teimlo'n siŵr fod beth bynnag oedd yn yr hen dŷ wedi'i ddilyn o adref ac yn sefyll ar y buarth, reit o dan ei ffenest ac yn rhythu i fyny arni.

Roedd o wedi ceisio dweud wrtho'i hun droeon mai dim ond tynnu ei goes yr oedd Tecwyn, nad oedd o wedi gweld unrhyw beth; mai wedi trio'i ddychryn roedd o, ac wedi cuddio'r tu ôl i goeden yn piffian chwerthin wrth weld Alun yn rhedeg am ei fywyd.

A'i fod o wedi brysio adref i Nantfechan wedyn er mwyn dweud wrth yr hogiau eraill i gyd.

Ond na, doedd hynny ddim yn tycio, rywsut. Roedd y braw a welodd Alun yn llenwi wyneb Tecwyn yn fraw go iawn.

A phetai o ddim ond wedi bod yn tynnu ei goes, yna go brin y byddai Tecwyn wedi cadw draw o fferm y Gelli cyhyd; byddai yno drannoeth, yn wên o glust i glust ac yn barod i dynnu ei goes eto.

'Wel, mi ga' i wbod toc, mae'n debyg,' meddai wrtho'i hun.

Cerddodd yn ei flaen i lawr y lôn, gan daro'r dail poethion efo'i ffon bob hyn a hyn ...

... a gan wybod yn iawn nad oedd arno eisiau clywed yr hyn fyddai gan Tecwyn Tŷ'r Nant i'w ddweud.

Golchi Poteli

Daeth Alun o hyd i Tecwyn ym muarth cefn tafarn Tŷ'r Nant.
Roedd Tecwyn yn ei gwrcwd a'i gefn ato, yn brysur yn golchi
poteli cwrw gwag dan y tap dŵr oer cyn eu sychu nhw â hen
sach a'u rhoi mewn bocsys pren ar gyfer eu dychwelyd i'r bragdy.
Felly welodd o mo Alun nes bod Alun yn sefyll reit y tu ôl iddo.

'Sut ma'i, Hyll?' meddai Alun.

Pan ydych chi yn eich cwrcwd, mae'n amhosib neidio heb
i chi edrych fel llyffant mawr. A dyna'n union sut yr edrychai
Tecwyn wrth i Alun ei gyfarch yn annisgwyl. Rhoddodd floedd
uchel o fraw gan ollwng y botel oedd ganddo yn ei law. Oni
bai iddi lanio ar y sach, byddai'r botel wedi torri'n deilchion
ar lawr carreg y buarth.

Trodd Tecwyn a rhythu ar Alun efo'i geg yn llydan agored
a'i lygaid yn edrych fel tasen nhw ar fin sboncio o'i ben, fel
llygaid penwaig ffres newydd ddod o'r môr.

'Chdi!' meddai.

'Ia – fi,' atebodd Alun. 'Be sy, Tecs?'

Ond yn hytrach na'i ateb, meddai Tecwyn, 'Be wyt ti'n dda
yma? Be wyt ti isio?'

Rhythodd Alun arno. Nid fel hyn yr oedd ffrindiau gorau i
fod i siarad â'i gilydd. Fel arfer, pan fyddai un yn cyfarch y llall
drwy ddweud 'Sut ma'i, Hyll?', byddai'r llall yn ei ateb drwy
ddweud 'Sut ma'i, Hyllach?' yn ôl. A than heddiw, byddai'r
ddau hogyn wedi rhowlio chwerthin petai un ohonyn nhw
wedi gwneud i'r llall neidio fel yna.

Ond rŵan, roedd Tecwyn yn edrych arno fel petai Alun yn hollol ddiarth iddo. Na – yn waeth na hynny, meddyliodd Alun: mae o'n sbio arna i fel tasa'n gas ganddo fy ngweld i.

Ac fel tasa fo wedi'i ddychryn am ei fywyd, hefyd; sylwodd Alun fod llaw Tecwyn yn crynu wrth iddo rinsio'r botel dan y tap.

'Dwi newydd ddeud,' meddai Alun. 'Isio gwbod be sy'n bod, dyna be dwi isio.'

'Be ti'n feddwl?'

'Dwyt ti ddim wedi bod i fyny acw ers dros wythnos. Wyt ti wedi bod yn sâl neu rywbeth?'

Ysgydwodd Tecwyn ei ben. Roedd o'n gwrthod edrych ar Alun, ac yn canolbwyntio ar olchi a rinsio'r poteli, eu sychu a'u gosod yn y bocs pren.

'Wel, pam, 'ta?' gofynnodd Alun.

'Dwi 'di bod yn brysur, yn do,' meddai Tecwyn yn surbwch.

'Yn gneud be?'

'Yn helpu Nhad. Mae 'na beth wmbredd o waith i'w neud mewn tŷ tafarn, i chdi gael dallt.'

Hy! meddyliodd Alun. Mae yna gryn dipyn mwy o waith i'w neud ar fferm nag sydd yna mewn tŷ tafarn, mae hynny'n saff. Ond doedd o ddim am ddechrau dadlau dros hynny rŵan – roedd pethau pwysicach o lawer ganddo ar ei feddwl.

'Be am fory, 'ta?' gofynnodd.

'Fory?'

'Ia. Tyrd draw ben bore, ac mi gawn ni fynd i bysgota yn yr afon. Mae 'na li reit dda ynddi hi rŵan, ar ôl y glaw gawson ni ddoe ac echddoe. Mae hi'n siŵr o fod yn berwi efo slywennod.'

Ysgydwodd Tecwyn ei ben. 'Fedra i ddim.'

'Pam?' meddai Alun.

'Dwi newydd ddeud,' atebodd Tecwyn yn biwis. 'Dwi'n brysur! Dwi'n gorfod helpu Nhad. Fory a drennydd a'r diwrnod wedyn, ac wythnos nesa, a ... a thrwy'r haf, iawn? Bob diwrnod, drwy'r haf.'

Dywedodd Tecwyn hyn i gyd heb sbio un waith ar Alun. Mae hwn yn palu celwyddau, meddyliodd Alun, a dechreuodd yntau deimlo'n biwis hefyd.

'Pam wnest ti redeg i ffwrdd, Tecs?' gofynnodd i gefn Tecwyn.

Rhewodd Tecwyn am eiliad, cyn codi potel fudur arall a dechrau ei golchi.

'Be ti'n feddwl?' meddai eto.

Teimlodd Alun ei hun yn troi'n fwy piwis fyth.

'Ti'n gwbod yn iawn be dwi'n feddwl! Wythnos dwytha, yn y goedwig. Mi redaist ti oddi yno nerth dy draed, a ngadael i yno ar fy mhen fy hun.'

Cododd Tecs ei ysgwyddau'n ddi-hid, a daeth Alun yn agos iawn at ymosod arno fo. Roedd o wedi taflu ei ffon – ei gleddyf – i mewn i'r nant pan gyrhaeddodd y pentref, ac efallai fod hynny'n eitha peth: byddai'n siŵr o fod wedi'i defnyddio i ddysgu gwers i Tecwyn.

'Be welist ti?' gofynnodd. 'Mi welist ti rywbeth y tu ôl i mi – a dyna be wnaeth i chdi ei heglu hi oddi yno.'

'Welais i ddim byd,' mwmiodd Tecwyn.

'Do, mi wnest ti!' taerodd Alun. 'Mi welais i dy wyneb di, Tecs. Ac mi godaist dy law a dechrau pwyntio at rywbeth oedd yno efo fi yn y ffenest ...'

'Naddo!' gwaeddodd Tecwyn, a gallai Alun daeru bod ei ffrind ar fin beichio crio. 'Welais i ddim byd, reit?' meddai eto. 'Tynnu arna chdi ro'n i, dyna'r cwbwl. Doedd yna ddim byd yno, wyt ti'n clywed? *Doedd yna ddim byd yno!'*

A gan sodro'r botel i mewn i'r bocs pren, gollyngodd ei sach a brysio i mewn i'r dafarn drwy'r drws cefn.

'Tecs!' gwaeddodd Alun ar ei ôl, ond yr unig ateb a gafodd oedd clep y drws.

Swniai fel ergyd o wn yn nhawelwch sydyn y buarth

Dau Gymêr

Oedd Alun wedi mynd adra?

Roedd o wedi mynd o fuarth cefn y dafarn, sylwodd Tecwyn pan fentrodd sbecian yn slei allan drwy ffenest y pantri. Ond doedd hynny ddim yn golygu ei fod o wedi mynd adra.

Aeth Tecwyn i fyny'r grisiau ac edrych allan drwy ffenest y landin. Ychydig i lawr y lôn o'r dafarn, ar waelod yr allt, roedd y nant fechan a roddodd ei henw i'r pentref. Roedd yna bont garreg yn croesi'r nant, a dyna lle roedd Alun, yn eistedd ar y bont a'i goesau'n hongian dros y dŵr ac yn syllu i lawr fel petai o'n gweld y pethau rhyfeddaf yn nofio'n ôl ac ymlaen oddi tano.

Tan yn ddiweddar, byddai Tecwyn wedi bod yno wrth ei ochr, y ddau ohonyn nhw'n craffu i mewn i'r dŵr ac am y cyntaf i weld slywen neu frithyll yn nofio dros y cerrig. Byddai Tecwyn wedi rhoi'r byd am fedru troi'r cloc yn ôl er mwyn cael rhuthro allan at Alun ac eistedd wrth ei ochr ar y bont.

Ond roedd hynny'n amhosib.

'Dos adra,' sibrydodd Tecwyn, wrth sbecian ar Alun drwy ffenest llofft y dafarn. 'Plis, dos adra, Alun – a gad lonydd i mi.'

Arhosodd Tecwyn wrth y ffenest am rai munudau, ond doedd yna ddim golwg fod Alun am symud. Alla i ddim mynd allan rŵan, meddyliodd Tecwyn, nes bydd Alun wedi mynd.

Aeth i lawr y grisiau ac i mewn i'r bar, lle roedd ei dad,

Richard, yn blasu'r cwrw o gasgen newydd a Jini, ei fam, yn golchi'r llawr.

'Yli pwy sy 'ma, Jini,' meddai ei dad wrth i Tecwyn ddod i mewn atyn nhw.

'Dydi o ddim yn arfer loetran o gwmpas y lle ar dywydd braf,' meddai ei fam.

'Oes 'na fwy o boteli i'w golchi, Nhad?' gofynnodd Tecwyn.

Rhythodd Richard Tomos ar ei fab, cyn troi at Jini, ei wraig. 'Be ar y ddaear sy wedi dŵad dros yr hogyn yma'n ddiweddar, Jini?' rhyfeddodd.

'Wn i ddim wir, Richard bach,' atebodd Jini Tomos. 'Dwi innau'n methu'n glir â dallt y peth.'

Ochneidiodd Tecwyn. Dyma ni eto fyth, meddyliodd; oes raid i ni fynd drwy hyn bob tro? Er ei fod o'n hoff iawn o'i dad a'i fam, roedd yna adegau pan deimlai Tecwyn fel taro'u pennau nhw yn erbyn ei gilydd.

Roedd Richard a Jini Tomos yn ddau gymêr – yn llawn hwyl a sbri, ac yn hoff o dynnu coes. Doedd dim byd o'i le ar hynny, wrth gwrs, ac efallai mai'r ffaith eu bod nhw'n cadw tafarn oedd yn gyfrifol am hyn. Roedden nhw'n aml yn gorfod cadw'r ddysgl yn wastad pan fyddai eu cwsmeriaid yn dadlau ac yn ffraeo ar ôl cael gormod o gwrw.

Ond oedd raid iddyn nhw fod felly drwy'r adeg?

'Tecwyn y Diogyn – rydan ni'n ei nabod o'n dda iawn,' meddai Richard Tomos. 'Tecwyn y Lwmpyn Di-ddim – ma' hwnnw'n hen gyfarwydd i ni hefyd.'

'Heb sôn am Tecwyn y Diflannwr,' meddai Jini. 'Hwnnw sy'n enwog drwy'r ardal – nage, drwy'r wlad, ddeudwn i – am ddiflannu o olwg pawb pan fydd yna waith i'w neud.'

'Yn hollol,' cytunodd Richard. 'Ond hwn? Tecwyn y Gweithiwr? Tecwyn yr Un sy'n Gofyn am Waith? Un diarth ar y naw i mi ydi hwn.'

'Gwna'n fawr ohono fo, Richard, tra mae o yma efo ni,' meddai Jini. 'Fydd hi ddim yn hir cyn byddwn ni'n gweld lliw ei ben-ôl o'n diflannu drwy'r drws am weddill y diwrnod, a dim ond yn ailymddangos pan fydd isio bwyd arno fo.'

'Jini, rwyt ti yn llygad dy le, hogan!'

Plygodd Richard Tomos o'r golwg y tu ôl i'r bar, a chodi llond bocs arall o boteli cwrw gwag.

'Cynnull dy wair tra pery'r tes, yndê, Jini?' meddai Richard, oedd yn hoff iawn o ddefnyddio hen ddiarhebion wrth siarad. Sodrodd y bocs ym mreichiau Tecwyn. 'Ma'n hen bryd i'r mab yma ddechrau dangos diddordeb yn y lle 'ma, wyt ti ddim yn meddwl?'

'Ydi, wir.' Rhedodd Jini Tomos ei llaw drwy wallt Tecwyn wrth iddo stryffaglu heibio iddi am y drws cefn. 'Mi fydd o'n ymadael â'r ysgol yna ymhen llai na dwy flynedd, ac un diwrnod, y fo fydd yn cadw'r hen Dŷ'r Nant yma – ac yn edrych ar ôl ei dad a'i fam yn eu henaint.'

''Rargian! Dyn a'n helpo ni felly, Jini!'

Caeodd Tecwyn y drws ar sŵn y ddau ohonyn nhw'n bloeddio chwerthin. Fel arfer, byddai wedi chwerthin efo nhw, dim ots pa mor flin y teimlai efo nhw ar y pryd – oherwydd peth felly oedd chwerthin Jini a Richard Tŷ'r Nant – ond nid heddiw.

Heddiw, roedd Tecwyn yn teimlo fel sgrechian.

Gwyddai, ers iddo redeg i ffwrdd o'r goedwig, y byddai

Alun yn siŵr o ddod i chwilio amdano fo yn hwyr neu'n hwyrach. Ond wrth i'r dyddiau lusgo heibio a dim golwg o Alun, roedd Tecwyn wedi dechrau meddwl bod ei ffrind gorau wedi llyncu mul efo fo, go iawn.

'Ddylwn i ddim fod wedi rhedeg i ffwrdd fel 'na, a'i adael o yno,' meddai'n dawel wrth ddechrau rinsio'r botel gyntaf. 'Yn yr hen dŷ yna, ar ei ben ei hun.'

Ond doedd o ddim ar ei ben ei hun, meddyliodd.

Dyna pam roedd Tecwyn wedi rhedeg i ffwrdd, am ei fywyd.

'Roedd yn rhaid i mi,' sibrydodd. 'Doedd gen i ddim dewis. Do'n i ddim wedi sylweddoli fy mod i yn rhedeg nes o'n i hanner ffordd adra. Ro'n i wedi dychryn cymaint ...'

Yna, meddai'n uchel, 'Dydi o ddim yn deg!'

Doedd o ddim wedi bwriadu siarad mor uchel ac edrychodd o gwmpas y buarth, rhag ofn bod un o'i rieni wedi'i glywed ac yn dod ato i fusnesu, ond doedd dim golwg ohonyn nhw. Wel, meddyliodd, dydi o ddim yn deg: Alun oedd wedi mynnu mynd i mewn i'r hen dŷ hwnnw, ond Tecwyn druan a gafodd ei ddychryn.

Gan beth?

Ysgydwodd Tecwyn ei ben yn ffyrnig, fel tasa fo'n ceisio ysgwyd rhywbeth allan ohono drwy'i glustiau.

Doedd o ddim isio meddwl am hynny. Ac yn sicr, doedd o ddim am ddweud wrth neb amdano – yn enwedig wrth Alun y Gelli.

Byth, tra byddai byw.

Y Nant

Roedd cryn dipyn o lif yn y nant, hefyd, ac eisteddai Alun ar y bont yn gwylio'r dŵr yn byrlymu rhwng ei draed.

Ond doedd ganddo fawr o ddiddordeb yn y brithyll a wibiai fel cysgodion chwim dros y cerrig; roedd ei feddwl, yn hytrach, ar Tecwyn. Teimlai Alun yn wan drwyddo, fel petai Tecwyn ac yntau newydd fod yn cwffio. Yn cwffio go iawn, hefyd, nid y reslo chwareus a wnâi'r ddau efo'i gilydd yn aml.

Efallai y byddai hynny wedi bod yn well, meddai wrtho'i hun – er y gwyddai'n iawn mai Tecwyn fyddai wedi ennill. Fo oedd wastad yn ennill bob un tro roedden nhw'n reslo. Roedd Tecwyn yn hogyn go fawr, a chadarn hefyd – fel ei dad (a'i fam, petai'n dod i hynny) – tra oedd Alun yn fain fel brwynen.

Ochneidiodd. Doedd o erioed wedi gweld Tecwyn fel hyn o'r blaen – roedd o wedi sbio arno fel tasa fo'n ei gasáu o.

Teimlodd Alun ei lygaid yn llenwi efo dagrau poeth.

Yr hen dŷ felltith 'na, ar hwnnw roedd y bai. A waeth faint o wadu a wnâi Tecwyn, gwyddai Alun yn iawn fod ei ffrind wedi gweld rhywbeth ofnadwy'r prynhawn hwnnw. A beth am y teimlad a gafodd yntau wrth neidio allan drwy dwll y ffenest? Y teimlad fod yna fys a bawd wedi ceisio'i dynnu yn ôl i'r tŷ gerfydd ei grys.

Crynodd Alun wrth i ryw oerfel rhyfedd ruthro trwy'i gorff. Edrychodd i fyny gan deimlo'n sicr fod yr haul wedi diflannu'r tu ôl i gymylau mawr du, ond na, roedd yr awyr yn las ac yn glir.

Sylwodd nad oedd ei ffon – ei gleddyf ffyddlon – wedi teithio'n bell iawn i lawr y nant. Gorweddai'n aflonydd mewn clwstwr o chwyn a dyfai ar y lan, ychydig o lathenni o'r bont, yn edrych fel tasa hi'n gwneud ei gorau i ddianc. Waeth i mi fynd â hon hefo fi, meddyliodd, gan godi oddi ar y bont a dilyn y llwybr bychan a arweiniai i lawr i'r cae lle roedd y nant.

Yna trodd ac edrych o'i gwmpas yn wyllt. Gallai daeru ei fod o wedi clywed rhywun yn piffian chwerthin.

Aeth at lan y nant. Oedd ei gleddyf yn ddigon agos iddo fedru ei gyrraedd heb orfod mynd i mewn i'r dŵr? Aeth i'w gwrcwd ac ymestyn ei law dde.

O, bron iawn! Modfedd neu ddwy arall ...

Roedd y chwyn wedi creu pwll bychan yn eu canol oedd bron cystal â drych, a gallai Alun ei weld ei hun yn glir yn wyneb y dŵr yn ymestyn am ei gleddyf. Meddyliodd am y stori honno am y Brenin Arthur yn derbyn ei gleddyf, Caledfwlch, oddi wrth Foneddiges y Llyn.

Argol, meddyliodd, mi faswn i'n cael tipyn o sioc tasa 'na fraich dynes yn codi o'r pwll yma efo'r ffon yma yn ei llaw!

Modfedd arall ...

... ac un arall ...

... a phan oedd blaenau ei fysedd yn crafu yn erbyn ochr y ffon, gwelodd wyneb merch yn ymddangos yn y dŵr, reit wrth ymyl ei wyneb.

Genod

Gyda bloedd uchel, ceisiodd Alun godi a throi, ond yn lle
hynny teimlodd ei draed yn llithro eto. Yr eiliad nesaf roedd o
at ei bengliniau yn y dŵr. Ceisiodd droi, ond roedd y chwyn
wedi cydio ynddo gerfydd ei fferau a baglodd yn ei ôl. Eiliad
arall, a dyna lle roedd o'n eistedd yn nŵr y nant a'r olwg fwyaf
hurt ar ei wyneb, yn gwylio Glesni Williams a Megan Allt Wen

yn rhowlio chwerthin ar y lan. Yn wir, roedden nhw'n chwerthin cymaint nes bod raid iddyn nhw gydio'n dynn yn ei gilydd neu fel arall yn y dŵr fasan nhwythau hefyd.

'Ia – digri iawn,' meddai Alun. 'Digri iawn, iawn!'

Stryffaglodd ar ei sefyll. Doedd y dŵr ddim yn ddwfn iawn a doedd Alun ddim wedi brifo o gwbl. Heblaw, wrth gwrs, am golli ei urddas. Oedd raid i Glesni Williams, o bawb, ei weld yn gwneud y ffasiwn ffŵl ohono'i hun? Diolch i'r nefoedd fod y genod yma ar eu pennau eu hunain, meddyliodd. Tasa rhai o'r hogiau yma, faswn i ddim yn clywed diwedd y peth am flynyddoedd lawer.

Dringodd i fyny i'r lan, a'r sŵn sgweltshian a wnâi wrth symud yn gwneud i'r genod chwerthin yn fwy nag erioed. Sylweddolodd mai wyneb Megan Allt Wen welodd o yn y dŵr wrth ochr ei wyneb ei hun. Roedd y ddwy wedi sleifio i fyny'r tu ôl iddo – a sylweddolodd hefyd mai nhw, yn sicr, oedd yn gyfrifol am y piffian chwerthin a glywodd o'n gynharach.

'Oeddach chi wedi meddwl fy ngwthio fi i mewn?' gofynnodd iddyn nhw, unwaith roedd y ddwy eneth wedi sobri ychydig.

'Doedd dim raid i ni, nag oedd?' meddai Megan.

'Mi wnest ti hynny dy hun, heb unrhyw help gan neb,' meddai Glesni, a dechreuodd y ddwy chwerthin yn wirion eto.

'Ia, ond taswn i ddim wedi digwydd llithro, fasach chi wedi 'ngwthio i?' mynnodd Alun gael gwybod.

'Pwy – ni?' meddai Glesni'n ddiniwed i gyd.

'Alun Gelli, mae hynna'n beth ofnadwy i'w ddeud!' meddai Megan.

'Dydi *young ladies* ddim yn gneud pethau fel 'na, siŵr.'

Mi fasa'n gneud byd o les i'r ddwy g'lomen yma gael trochfa, meddyliodd Alun. Yn sydyn, neidiodd fel dyn o'i gof wrth deimlo rhywbeth anghynnes yn cropian ar hyd ei goes, y tu mewn i'w drowsus. Trodd ei gefn ar y genod a gwthio'i law i lawr blaen ei drowsus. Chwilen ddŵr, gwelodd ar ôl tynnu ei law allan, a throdd at y genod efo'r chwilen yn ei law.

'Hwdwch. Anrheg bach i chi.'

Sgrechiodd Glesni a neidio yn ei hôl fel tasa Alun wedi cynnig neidr wenwynig iddi, ond daliodd Megan ei llaw allan. Rhoddodd Alun y chwilen yn ei llaw a chraffodd Megan arni.

'O, del!' meddai. 'Chwilen ddŵr.' Gwenodd ar Alun a tharo winc arno, cyn troi a mynd i'w chwrcwd a rhoi'r chwilen yn ôl yn y dŵr.

'Megan! Sut fedri di hyd yn oed *dwtshiad* yn y fath beth?' meddai Glesni.

Argol, mae hon yn ddel! meddyliodd Alun. Roedd gan Glesni lond pen o gyrls melyn yn byrlymu dros ei hysgwyddau ac i lawr ei chefn fel rhaeadr o ŷd. Merch i frenin ddylai hon fod, meddyliodd, nid i ryw hen snichyn sych o weinidog fel Erasmus Williams.

'Hoi, Alun Gelli! Dwi'n siarad efo chdi!'

Neidiodd Alun wrth i Megan Allt Wen roi slap fach boenus i'w fraich.

'Aw!'

'Gwranda arna i pan dwi'n trio siarad efo chdi, 'ta.'

Roedd Megan yn wahanol iawn i Glesni, ac yn fwy o domboi o lawer a'i gwallt tywyll wastad yn gaglau blêr, amhosib eu trin, a byddai gŵen chwareus yn goleuo'i hwyneb byth a beunydd.

'Be wyt ti isio?' Rhwbiodd Alun ei fraich; roedd llaw fechan Megan wedi ei losgi.

'Lle mae dy gysgod di heddiw?'

'Fy nghysgod i?'

'Tecwyn Tŷ'r Nant, yndê.'

Sylwodd Alun ddim ar y wên ddireidus a fflachiodd Megan ar Glesni. Roedd clywed enw Tecwyn wedi gwneud iddo edrych i ffwrdd oddi wrth y genod.

'Dydi o ddim yn gysgod i mi,' meddai'n bwdlyd, ac wrth gwrs, mi neidiodd Megan fel llewpart ar hyn.

'O, pam? Dach chi wedi ffraeo? Chi'ch dau, o bawb?'

'Pwy, ni? Ffraeo? Naddo, siŵr. Mae o'n brysur, mae'i dad a'i fam o'n gneud iddo fo weithio, dyna'r cwbwl.'

'O?' Ond doedd Megan yn amlwg ddim yn ei goelio. Craffodd arno am rai eiliadau, cyn codi'i hysgwyddau. 'Dim ots gen i, beth bynnag.' Gwenodd yn ddireidus eto. 'Glesni oedd isio gwbod.'

'Megan! Do'n i ddim!'

Roedd Glesni wedi cochi at ei chlustiau.

'Paid â gwrando arni hi, Alun. Deud celwyddau mae hi. Sdim ots gen i lle mae Tecwyn. Tyrd, Megan, dwi'n gorfod mynd adra rŵan.'

Rhythodd Megan arni. '*Rŵan?*'

'Ia – rŵan. Tyrd.'

'Dim ond newydd ddŵad allan wyt ti,' protestiodd Megan.

'Dydi Mam ddim yn licio i mi dreulio gormod o amser yn yr haul,' meddai Glesni.

Cychwynnodd oddi yno gan ddisgwyl y byddai Megan yn mynd efo hi. Trodd ar ôl ychydig a synnu wrth weld bod Megan wedi aros lle roedd hi.

'Wel?' meddai.

Ysgydwodd Megan ei phen. 'Cer di,' meddai. 'Mae hi'n rhy braf i aros mewn rhwng pedair wal.' Rhoddodd bwniad ysgafn i Alun. 'Mae Alun a finnau'n mynd i bysgota am slywennod, beth bynnag. Croeso i chdi ddŵad efo ni.'

'Slywennod! Na ddo' i, wir!'

A gan grynu drwyddi fel petai rhywun newydd ollwng hanner dwsin o slywennod i lawr ei chefn, brysiodd Glesni Williams i ffwrdd am y Mans.

'Slywod?' meddai Alun.

'Ro'n i'n gwbod y basa hynny'n ddigon i wneud iddi fynd adra am ei bywyd,' meddai Megan. 'Ond ma'n syniad reit dda, dwyt ti ddim yn meddwl?'

'Be – pysgota am slywod?' meddai Alun.

'Ia,' meddai Megan. 'A thra ydan ni wrthi, mi gei di ddeud wrtha i pam dy fod di wedi ffraeo efo Tecwyn Tŷ'r Nant.'

Gaeaf 1934

Wrth gwrs, doedd o ddim wedi dweud wrth Megan y diwrnod hwnnw. Gwenodd Alun wrth ei chofio hi'n swnian arno – yn swnian a hefru a chrefu.

A'i fygwth hefyd, cofiai.

'Os na ddeudi di wrtha i, mi fydda i'n gollwng y slywen gynta i lawr blaen dy drowsus di.'

'Ac mi fydd y nesa'n diflannu i lawr cefn dy flwmyrs di,' oedd ateb Alun.

'Fasat ti ddim yn meiddio!'

'Na faswn, na faswn i wir?'

'Os gwnei di hynny, mi ddeuda i wrth Islwyn a Dei.' Ei brodyr mawr oedd Islwyn a Dei, dau o hogiau 'tebol a'r rhai oedd yn gyfrifol am droi eu chwaer fach yn gymaint o domboi.

Ond roedd Alun yn benderfynol. Doedd o ddim am ddweud wrth neb fod Tecwyn ac yntau wedi bod at yr hen dŷ hwnnw yn y coed – ac yn sicr doedd o ddim am ddweud ei fod o wedi bod i mewn ynddo fo.

Yn awr, bron i ddeng mlynedd ar hugain yn ddiweddarach, eisteddai o flaen gweddillion tân y parlwr cefn a'r hen lyfr copi hwnnw ar ei lin. Roedd ei wraig eisoes wedi mynd i'r gwely ac roedd Huw hefyd wedi hen noswylio. Diolch byth, roedd y gwynt wedi dechrau gostwng ac ymhen ychydig, gyda lwc, byddai Alun yn teimlo'n ddigon cysglyd i ddringo'r grisiau am y gwely.

Ond ddim eto.

Agorodd y llyfr yn y dudalen gyntaf ...

Ffrindiau

Roedd Alun y Gelli a Tecwyn Tŷ'r Nant
Yn dipyn o lawiau pan oeddan nhw'n blant.

Dau o'r un natur, ers gadael y crud,
Ni fu'r fath gyfeillion erioed yn y byd.

Pe bai rhyw hen ffraeo dros rywbeth bach, ffôl,
Mewn chwinciad yr oeddan nhw'n ffrindiau yn ôl.

Cyfeillion mynwesol pan oeddan nhw'n blant
Oedd Alun y Gelli a Tecwyn Tŷ'r Nant,
A phwy a feddyliai fod dau mor gytûn
Mor oer at ei gilydd ar ôl mynd yn hŷn?

Alun Gelli

RHAN 2

Dau Lanc

Never such innocence,
Never before or since ...
Never such innocence again.

'MCMXIV', Philip Larkin

Y Gêm

Weithiau, a hithau'n haf a heulwen
Ac awyr las uwch ben y fro;
Weithiau, a hithau'n aeaf caled
A Nant y Rhud yn fud dan glo;
Mi fyddai'r hogiau yng Nghae Pen-rhos
Ar glwt o laswellt rhwng dwy ffos.

Dwy fyddin yn eu crysau eto
Yn troi y cae yn faes y gad,
Mae penderfyniad mewn calonau,
A sŵn y bîb fel galwad gwlad.
Ac ni fydd heddwch ar y ddôl
Ond atgof amser maith yn ôl.

Ac yna bydd distawrwydd llethol,
Dim crawc na chri yn rhwygo'r aer
Dim byd ond ambell fref doredig
Ac ynddi adlais gweddi daer
Am weld yr hogiau 'Nghae Pen Rhos
Yn brwydro eto rhwng dwy ffos.

Alun Gelli

Tarw Nantfechan

Gwanwyn, 1914

'Dim ond gêm ydi hi,' meddai Alun dan ei wynt, eto fyth. 'Pam ydach chi'n cymryd yr holl beth gymaint o ddifri? Gêm ydi hi – dyna'r cwbwl.'

Crynodd. Roedd hi'n bwrw glaw mân – hen law oer a phenderfynol.

'Mae hi'n fwdlyd dan draed,' meddai un o'r chwaraewyr.

'Yndi – dros ben!' atebodd chwaraewr arall.

Ond pharodd yr hiwmor hwn ddim yn hir. Yn ogystal â'r tywydd gwlyb, roedd yna hen awyrgylch cas wedi setlo fel niwl annifyr dros Gae Pen-rhos. Ond fel hyn roedd hi bob tro byddai timau pêl-droed Llanaber a Nantfechan yn chwarae yn erbyn ei gilydd. A hanner ffordd drwy ail hanner y gêm efo'r ddau dîm wedi sgorio un gôl yr un, roedd cryn densiwn yn yr aer, hefyd.

'Alun!'

Trodd a gweld Ieuan Wyn yn cicio'r bêl tuag ato. Daliodd Alun hi â'i droed dde cyn symud efo hi i lawr yr asgell chwith, ei lygaid yn neidio i bob cyfeiriad. Gallai glywed sŵn traed yn carlamu ar ei ôl a rhoddodd gic i'r bêl cyn i'r chwaraewr o dîm Nantfechan fedru ei gyrraedd. Erbyn hynny roedd Ieuan Wyn hefyd wedi symud yn ei flaen i ganol y cae a glaniodd y bêl yn dwt o flaen ei draed. Dechreuodd Ieuan symud gyda'r bêl, ond yr eiliad nesaf roedd o'n gorwedd ar ei hyd ar ôl cael ei faglu o'r tu ôl iddo.

Daeth sawl bloedd o gegau'r gwylwyr a safai'n wlyb socian bob ochr i'r cae. Neidiodd Ieuan i'w draed, yn fŵd i gyd, ac edrych o'i gwmpas yn wyllt i weld pwy oedd wedi'i faglu. Ond roedd gormod o chwaraewyr Nantfechan o'i gwmpas – a phob un ohonyn nhw'n gwenu'n sbeitlyd – iddo fedru pwyntio'i fys at neb arbennig. Trodd at y dyfarnwr, ond doedd hwnnw ddim wedi gweld dim byd chwaith.

Neu felly roedd o'n cymryd arno, beth bynnag, gyda hanner tîm Nantfechan wedi heidio o'i amgylch ac yn gwgu arno fo'n fygythiol.

'Oes raid i chi?' meddai Alun wrth y chwaraewr wrth ei ymyl. Maldwyn Preis oedd hwn, hogyn oedd ar un adeg yn yr un dosbarth ag Alun yn yr ysgol.

'Oes raid i ni be?' meddai Maldwyn.

'Chwarae mor fudur, yndê.'

'Gêm i ddynion ydi hon, washi, nid i hogiau bach,' chwarddodd Maldwyn dros ei ysgwydd wrth gerdded i ffwrdd – fel tasa fo ugain mlynedd yn hŷn nag Alun yn hytrach na deufis yn iau. 'Nac i ryw feirdd meddal chwaith,' ychwanegodd.

Ysgydwodd Alun ei ben. Waeth i mi heb, meddyliodd. Roedd gan dîm Nantfechan enw am chwarae'n fudur, a doedd yr un o'r timau lleol yn edrych ymlaen at chwarae yn eu herbyn.

Yn enwedig efo 'Tarw Nantfechan' yn chwarae iddyn nhw.

Er mai hogyn ifanc oedd Tarw'r Nant – pedair ar bymtheg oed eleni, sef oed Alun o yfory ymlaen – roedd ar bawb ei ofn o. Meddyliwch am das wair. Yna meddyliwch am yr un das wair, ond wedi'i gwneud o goncrit yn hytrach na gwair.

Un felly oedd Tarw'r Nant. Doedd o ddim yn gallu symud yn gyflym. Yn wir, doedd o ddim yn bel-droediwr da iawn o gwbwl, a bod yn hollol onest – ond doedd dim angen iddo fod. Doedd ond eisiau iddo fo godi ei ysgwyddau fymryn, gwthio'i ên i lawr a rhuthro am bwy bynnag oedd yn dod tuag ato gyda'r bêl, a byddai'r creadur hwnnw – os oedd ganddo rywfaint o synnwyr cyffredin – yn symud o'i ffordd am ei fywyd, gan anghofio popeth am y bêl.

Ac os na fyddai wedi symud o ffordd y Tarw yn ddigon cyflym, yna byddai'n dod ato'i hun oriau'n ddiweddarach gyda'r teimlad fod yna dŷ cyfan wedi disgyn am ei ben.

Ia, dyn dewr iawn – neu un gwirion ar y naw – oedd yn meiddio herio'r Tarw. Doedd o ddim yn un i faddau, ac yn hwyr neu'n hwyrach byddai'n sicr o dalu'r pwyth yn ôl i ba ffŵl bynnag a wnâi hynny.

A heddiw, roedd ei lygaid wedi'u hoelio ar Alun Gelli.

*

Doedd y Tarw – neu Tecwyn Tŷ'r Nant, cyn iddo fo dyfu a lledu a chwyddo a throi'n darw o hogyn – ddim yn darw hapus. Roedd o'n oer. Roedd o'n wlyb. Roedd o'n fŵd o'i gorun i'w sawdl. Roedd o hefyd wedi gobeithio y byddai'r glaw mân wedi golchi'r mwd oddi ar ei wyneb a'i wallt a'i goesau a'i glustiau, ond na, roedd y glaw'n rhy ddi-ddim i hynny. Os rhywbeth, roedd y Tarw wedi dechrau credu bod y glaw'n gwneud y mwd yn waeth – yn ei wneud yn dewach yn hytrach na'i deneuo a'i lanhau oddi arno.

Ond gallai fyw efo hynny. Y tywydd ydi'r tywydd, yndê?

meddai wrtho'i hun, a does yna ddim byd y medrwn ni ei neud i'w newid o. Fel y dywedai ei dad hyd syrffed, 'Mae dyn yn concro'r moroedd, mae dyn yn concro'r mynydd; ond ni all dyn a'i driciau i gyd, wneud diawl o ddim i'r tywydd.'

Y sinach Alun Gelli oedd yn ei gorddi go iawn, gan wneud iddo edrych yn fwy o darw blin nag erioed. Ei gorddi cymaint nes bod aelodau o'i dîm ei hun yn cadw'n glir oddi wrth y Tarw.

Be oedd Alun wedi'i wneud iddo? Wel, llwyddo i droi Tarw Nantfechan yn destun sbort, dyna be.

Nid un waith, ychwaith, ond dwy waith.

Y tro cyntaf, roedd Tecwyn newydd dynnu ei droed dde'n ôl ac ar fin rhoi cic anferth i'r bêl, pan ymddangosodd Alun o nunlle a dwyn y bêl oddi arno a dawnsio i ffwrdd efo hi. Y drafferth oedd fod Tecwyn wedi rhyw ddechrau cicio, gyda'r canlyniad fod ei droed dde – yn hytrach na tharo'n galed yn erbyn y bêl – wedi parhau i nofio'n braf drwy'r awyr wag, gan godi'n uwch ac yn uwch nes i'w droed chwith lithro ar y glaswellt. Eiliad arall, a syrthiodd y Tarw ar ei ben-ôl i bwll o fŵd oer a gwlyb oedd yn tasgu i bob cyfeiriad.

Ac roedd mwy nag un ohonyn nhw wedi chwerthin. 'O-ho, doedd o ddim yn licio hynna!' clywodd Tecwyn rywun yn dweud wrth iddo fustachu i'w draed. Wrth gwrs, roedd Alun wedi hen fynd erbyn hynny.

Aros di, meddyliodd y Tarw. Aros di, washi.

Cafodd ei gyfle ar ddechrau'r ail hanner. Roedd Alun yn dod yn syth amdano gyda'r bêl, ac yn edrych fel tasa fo ddim wedi sylwi bod y Tarw yno o'i flaen o. Gwenodd Tecwyn. Rŵan amdani, Gelli, meddyliodd. I fyny â'r ysgwyddau ac i

lawr â'r ên, a chychwynnodd ar ei ruthr enwog ...

... ond rhoddodd Alun gic fach ddigywilydd i'r bêl rhwng coesau Tecwyn cyn gwyro i'r ochr fel slywen lithrig. Rhuthrodd y Tarw yn ei flaen, baglu dros ei draed ei hun yn ei ddryswch a syrthio'n fflat ar ei wyneb i ganol pwll arall o fŵd – a llyncu tipyn go lew ohono yn y broses.

Cododd gan boeri mwd i bobman, i gyfeiliant rhagor o chwerthin gan y gwylwyr.

Reit, Alun Gelli, meddai wrtho'i hun. Rwyt ti wedi gofyn amdani go iawn rŵan.

A Duw a'th helpo, washi.

Tipyn o Hwyl

O feddwl eu bod nhw'n gymaint o ffrindiau ar un adeg, doedd Alun a Tecwyn ddim wedi gweld rhyw lawer ar ei gilydd ers i'r ddau ohonyn nhw adael yr ysgol pan oedden nhw'n ddeuddeg oed. Gweithio efo'i dad a'i fam yn nhafarn Tŷ'r Nant a wnâi Tecwyn, tra oedd Alun gartref ar fferm y Gelli.

Yn go fuan ar ôl iddyn nhw ganu'n iach i'r ysgol, daeth y newyddion cyffrous fod pentrefi Llanaber a Nantfechan am ffurfio timau pêl-droed. Dau dîm newydd sbon a'r ddau'n rhannu'r un cae chwarae, sef hen Gae Pen-rhos a oedd fwy neu lai'n union rhwng y ddau bentref. Pan fyddai Llanaber yn chwarae gartref un wythnos, yna byddai Nantfechan yn chwarae i ffwrdd, ac fel arall yr wythnos ganlynol.

Roedd diwrnod gêm gyntaf un y ddau dîm – yn erbyn ei gilydd 'nôl yn 1907 – yn ddiwrnod go fawr yn hanes yr ardal. Roedd y tywydd yn heulog a chynnes; roedd y band pres lleol yn chwarae ac roedd yr holl ddiwrnod fel un picnic mawr.

'Gobeithio y ca' i chwarae i dîm Nantfechan,' meddai Alun wrth y bwrdd brecwast ar fore'r gêm.

'Pwy – chdi?'

Gwgodd Alun ar ei chwaer. 'Ia – fi,' meddai. 'Pam?'

'Chwarae i Lanaber fyddi di, os o gwbwl,' meddai ei dad. 'Y busnes plwyfi 'ma ydi o. Hanner milltir arall, ac mi fasa'r Gelli ym mhlwyf Nantfechan. Ond fel mae hi rŵan, ym mhlwyf Llanaber rydan ni.'

'Ond os bydda i'n chwarae i dîm Llanaber yn erbyn

Nantfechan, yna mi fydda i'n chwarae yn erbyn fy ffrindiau i gyd.'

Nodiodd Gwilym Roberts. 'Byddi, mae'n debyg. Ond fedrwn ni ddim symud y fferm ryw hanner milltir i lawr yr allt, ma'n ddrwg gen i.'

'Dwn i'm pam dy fod di'n poeni,' meddai Cadi. ''Sgen ti ddim ffrindiau. Does 'na neb yn dy licio di.'

Roedd Cadi wedi hen gyrraedd yr oed annifyr hwnnw pan fydd pob chwaer fach yn troi'n ddannodd go iawn.

'Dyna ddigon rŵan, Cadi,' meddai ei mam. Trodd Mair Roberts at Alun. 'Torri dy goesau, dyna be fydd dy hanes di. Dim ond ryffians sy'n chwarae'r hen gêm wirion yna.'

'Bydd Alun yn chwarae felly, yn bydd?' meddai Cadi. 'Dyna be ydi o – ryffian. Coman Jac ...'

'Dwi ddim isio gorfod deud wrthat ti eto, Cadi,' rhybuddiodd Mair hi. Gwgodd ar ei mab a'i gŵr. 'A chi'ch dau ... fel dwi wedi deud droeon, roedd Mr Williams yn llygad ei le ddydd Sul dwytha, yn y capel.'

Edrychodd Gwilym i lawr ar ei fwyd. Roedd o'n gwisgo'i wyneb 'Dwi'n deud dim', a phenderfynodd Alun mai peth doeth fyddai iddo yntau gau ei geg hefyd. Dôi'r olwg yma dros wyneb ei dad bob tro y byddai'r gweinidog – y Parchedig Erasmus Williams, tad y Dywysoges Glesni – yn cael ei grybwyll mewn sgwrs. Roedd gan Mair feddwl mawr o'r gweinidog, ond doedd dim llawer gan ei dad i'w ddweud wrtho fo, gwyddai Alun.

Roedd o wedi clywed ei dad a Gorwest yn trafod y gweinidog un diwrnod wrth iddyn nhw garthu'r beudy. Fel

Mair, roedd gan Leusa, gwraig Gorwest, gryn dipyn o feddwl o Erasmus Williams.

'Dwi ddim yn dallt y peth fy hun,' meddai Gorwest. 'Mae merched y capel acw i gyd yr un fath, yn gwirioni dros y bwbach. "Mae o'n ddyn da," medda'r Leusa acw'r wythnos o'r blaen. "Wel, yndi gobeithio," medda finnau, "dyna be ydi'i job o, yndê? Bod yn ddyn da."'

'Ia, wel, dwi'n rhyw led feddwl bod ganddo fo ormod o feddwl ohono'i hun i fod yn Gristion da iawn,' oedd barn tad Alun.

'Ac ma'i lygaid o'n rhy aflonydd,' meddai Gorwest.

'Aflonydd?' holodd Gwilym.

'Ia. Sylwa di'r tro nesa fyddi di'n siarad efo fo, Gwilym. Ma'i lygaid o'n neidio i bob cyfeiriad, fel tasa fo'n chwilio am rywun mwy difyr i siarad efo fo. Neu rywun pwysicach, yndê.'

'Wn i be sy gen ti,' cytunodd Gwilym Roberts. 'Does ond isio iddo fo weld tin go bwysig, ac mae o yno'r tu ôl iddo fo efo'i ewinedd allan, yn barod i'w grafu o.'

Chwarddodd Gorwest, a bu Alun yn piffian chwerthin iddo'i hun am ddyddiau wedyn wrth greu darlun yn ei feddwl o bwysigion yr ardal yn rhedeg am eu bywydau, wysg eu cefnau, oddi wrth Erasmus Williams a'i ewinedd eiddgar.

Y bore Sul diwethaf, fodd bynnag, roedd tad Glesni wedi taranu o'r pulpud yn erbyn pêl-droed. Gêm anwaraidd oedd hi, meddai Erasmus Williams, anwaraidd ac anghristnogol: gêm oedd yn troi dynion yn elynion. Aeth i gryn dipyn o hwyl ynglŷn â'r peth ac roedd hynny wastad yn werth ei weld, ym marn Alun a'i ffrindiau. Dyn tal, main oedd y gweinidog, gydag afal breuant mawr yng nghanol ei wddf. A phan fyddai'n mynd i hwyl – fel y gwnâi llawer o bregethwyr y dyddiau hynny – byddai ei wyneb yn troi'n goch fel tomato a byddai ei afal breuant yn saethu i fyny ac i lawr y tu mewn i'w wddf fel marblen mewn potel o bop.

'Ebol gwyllt wyt ti, yn rhwygo'r ddaear â'th garnau ac yn dychryn teyrnasiaid â'th weryriad!' bloeddiodd dros y capel, a gan mai llais main oedd ganddo, swniai'r gweinidog fel petai o'n sgrechian, bron. Bu'n rhaid i Alun a nifer o'r hogiau eraill edrych i lawr a chanolbwyntio ar flaenau eu hesgidiau er mwyn cuddio'r ffaith eu bod nhw bron â marw eisiau chwerthin.

Er bod rhai aelodau o'r gynulleidfa wedi porthi yn ystod y bregeth gan ddangos eu bod nhw'n cytuno efo'r gweinidog, sylwodd Alun mai pobol mewn oed oedd y rhain i gyd. Yr aelodau mwyaf sych a chul oedden nhw – y dynion i gyd efo locsyn mawr gwyn, a'r merched wastad yn gwisgo dillad du ac fel tasan nhw'n edrych ymlaen at gael mynd i ryw gynhebrwng neu'i gilydd.

Go brin fod tad Glesni erioed wedi gweld gêm bêl-droed yn ei fywyd, meddyliodd Alun wrth orffen ei swper, ond doedd wiw iddo ddweud hynny wrth ei fam. Bodlonodd, felly, ar nodio'n ddistaw bach pan ddywedodd ei dad, 'Dim ond gêm ydi hi, Mair. Tipyn o hwyl, dyna i gyd.'

*

Heddiw, saith mlynedd yn ddiweddarach, meddyliodd Alun eto am eiriau ei dad.

Tipyn o hwyl, dyna i gyd ...

A dyna be oedd gemau pêl-droed gan amlaf – criw o hogiau'n cael hwyl wrth ymlacio ar ddiwedd wythnos galed o waith. Roedd y gemau a chwaraeai Llanaber yn erbyn timau eraill yr ardal yn ddigon cyfeillgar. Y gornestau lleol yn erbyn Nantfechan oedd y drwg yn y caws.

Cofiai'n ôl eto i ddiwrnod y gêm gyntaf un. Roedd honno *yn* hwyl, meddyliodd, gyda'r chwaraewyr yn sgwario ac yn swancio ledled y cae wrth i'r band pres chwarae. Gwisgai pawb eu dillad gorau: y dynion gyda'u hetiau gwellt a nifer ohonyn nhw â mwstásh corniog, hir, ffasiwn-newydd; y merched â'u parasôls ac i gyd mewn dillad gwyn nes bod edrych ar griw ohonyn nhw'n ddigon i'ch dallu.

Ac i goroni'r cyfan, gêm gyfartal oedd hi – un gôl yr un – Llanaber yn sgorio yn ystod yr hanner cyntaf a Nantfechan yn ystod yr ail.

Pawb yn hapus, pawb yn ffrindiau.

Ond fy mod i wedi gwneud ffŵl go iawn ohonof fy hun, cofiai Alun â gwên. Roedd o'n sefyll ar ochr y cae a'i goesau ifanc yn ysu am gael ymuno â'r gêm pan welodd y bêl yn rhowlio'n ddiog yn syth amdano, dros y llinell, ac un o'r chwaraewyr yn carlamu ar ei ôl.

'Tyrd â hi yma, washi,' meddai'r chwaraewr gan ddal ei freichiau allan, yn amlwg yn disgwyl i Alun godi'r bêl a'i thaflu ato neu ei rhoi yn ei ddwylo. Ond yn lle hynny, roedd Alun wedi tynnu ei droed yn ôl, yn barod i'w chicio.

'Wo – na, paid ...' dechreuodd y chwaraewr ddweud, ond roedd o'n rhy hwyr. Saethodd troed Alun ymlaen gan roi cic anferth i'r bêl ...

... a'r eiliad nesaf, dyna lle roedd o'n rhowlio ar y ddaear ac yn meddwl yn siŵr ei fod o wedi torri ei droed. Doedd o ddim wedi sylweddoli bod y bêl – oedd wedi'i gwneud o ledr a rwber – mor drom ac mor galed. A gan ei bod hi wedi glawio'r noson cynt, roedd y cae'n wlyb ac roedd cryn dipyn o ddŵr wedi mynd i mewn i'r bêl gan ei gwneud hi'n drymach fyth.

Drwy ei boen gallai glywed llais y chwaraewr yn dweud, 'Argol, mae o'n lwcus na chafodd y cyfle i drio penio'r bêl 'ma. Roedd yr hogiau'n sôn am ddyn o ochrau Wrecsam oedd wedi torri ei wddw wrth drio gneud hynny.'

Wedi cleisio'i droed yn go ddrwg yr oedd Alun yn hytrach na'i thorri, ond mi fuodd o'n hercian am ddyddiau wedyn, a'i fam yn dweud bob gafael, 'Torri dy goesau fydd dy hanes di. Dyna be ddeudis i, yndê?' Diolch i'r drefn na chlywodd hi'r chwaraewr yn sôn am y creadur hwnnw o ardal Wrecsam.

Ond, er gwaethaf holl hefru ei fam, daeth breuddwyd Alun yn wir yn y diwedd, oherwydd dyma fo rŵan, bron saith mlynedd yn hŷn ac yn chwarae i dîm pêl-droed ...

'Alun! Deffra!'

Neidiodd a throi mewn pryd i weld y bêl yn hedfan amdano. Trodd yn llawn i'w hwynebu a gadael iddi ei daro yn ei fron a disgyn i lawr wrth ei draed.

Ond roedd o wedi deffro'n rhy hwyr o'i freuddwydio. Cafodd yr argraff, am eiliad, fod y ddaear yn crynu oddi tano a bod yna gwmwl mawr du'n rhuthro tuag ato ...

... yna syrthiodd Eryri gyfan am ei ben, a chaeodd y tywyllwch ei freichiau'n dynn am Alun Gelli.

Roedd Tarw Nantfechan o'r diwedd wedi gweld ei gyfle.

Anrheg Annisgwyl

'Wel, paid ag eistedd yna fel llo'n gneud dim byd ond sbio arno fo,' chwarddodd Mair Roberts, 'a'r hogan wedi dŵad â fo yma i ti, bob cam ac yn un swydd.'

'O'r gorau, Mam!' meddai Alun. 'Do'n i ddim ... wel, wedi disgwyl dim byd.'

Eisteddai'r 'hogan' reit ar flaen ei chadair ym mharlwr y Gelli a'i dwylo chwyslyd wedi'u plethu ar ei glin. Gwenodd yn swil ac edrych i fyny, ac yna i lawr. Yn sydyn cododd fel petai hi am ruthro o'r ystafell, cyn eistedd eto. Felly'r oedd hi, i fyny ac i lawr fel pi-pi down.

Rhythodd Cadi arni. Nefi wen, meddyliodd, ai Megan Allt Wen ydi hon? Dwi 'rioed wedi'i gweld hi'n ymddwyn fel hyn o'r blaen. Edrychodd ar ei brawd, ond roedd sylw Alun ar y parsel bychan roedd Megan newydd ei roi iddo. Ac roedd ei mam yn iawn – syllu arno fo fel llo yr oedd Alun, fel tasa fo'n disgwyl i'r parsel ei ddadlapio'i hun.

Rhoddodd Cadi – oedd bellach yn ddwy ar bymtheg oed – bwniad iddo yn ei ysgwydd â blaen ei bys.

'Agor o, Alun, fel tasat ti'n fyw,' meddai wrtho.

'Reit! Dwi'n trio 'ngorau, yn tydw?' meddai Alun.

Ond roedd ei fysedd fel petaen nhw wedi troi'n selsig tew, llithrig. Teimlai Alun yn hynod o swil ac yn domen o chwys, yma yn y parlwr fel hyn gyda'i fam, ei chwaer a Megan Allt Wen yn ei wylio. Doedd o ddim wedi arfer cael anrhegion gan neb y tu allan i'r teulu.

Rhowliodd Cadi ei llygaid ar Megan a chael gwên fach
nerfus yn ôl. Edrychodd honno i lawr ar ei dwylo unwaith eto,
a sylwodd Cadi ei bod hi'n plethu a dadblethu ei bysedd. Ac
roedd ganddi ddau smotyn bach coch yn uchel ar ei bochau.

Edrychodd Cadi ar Mair.

Edrychodd Mair ar Cadi.

Gwenodd y ddwy.

O'r diwedd, llwyddodd Alun i ddatod y llinyn oedd o
amgylch y parsel. 'Llyfr ydi o, dwi'n cymryd?' meddai wrth
Megan.

Heb edrych arno – yn wir, a'i llygaid yn neidio i bobman
ond i gyfeiriad Alun – meddai Megan: 'Alun, faswn i byth yn
meiddio prynu llyfr i ti. Mae'n debyg y basa fo gen ti yn barod.'

'Ond ma'n teimlo fel llyfr,' meddai Alun gan droi'r parsel drosodd a throsodd rhwng ei ddwylo.

'Brenin trugaredd! Tynna'r papur llwyd yna ac mi gei di weld,' ebychodd ei fam.

'Reit, reit!'

I ffwrdd â'r papur. Rhythodd Alun.

'Argol fawr, Megan.'

'Pen-blwydd hapus, Alun,' meddai Megan wrth y carped.

'Y ... diolch ... diolch, Meg.'

Edrychodd Megan arno o'r diwedd. Roedd ei hwyneb yn fflamgoch.

'Rwyt ti *yn* ei hoffi fo, gobeithio?' gofynnodd yn bryderus. 'Ro'n i'n meddwl y basat ti'n gwerthfawrogi cael llyfr iawn i gadw dy gerddi ynddo fo ... unwaith rwyt ti'n hapus efo nhw, dwi'n feddwl, wrth gwrs, nid pan wyt ti ar ganol eu sgwennu nhw. A phan welais i hwn yn ffenest y siop yn y dre ...'

Tawodd yn sydyn. Y gwir amdani oedd ei bod wedi mynd i Gaernarfon yn unswydd i chwilio am yr anrheg arbennig hon. Llyfr nodiadau oedd o, ond un go swanc, gyda dros gant o ddudalennau gwag, glân rhwng cloriau lledr.

'Wel, deud rywbeth, y llwdwn!'

Cafodd Alun bwniad arall gan Cadi, a gwingodd yn ei gadair.

'Aw! Cofia 'mod i'n gleisiau byw,' protestiodd.

'Ia, wel, bai pwy ydi hynny, sgwn i?' meddai ei fam, gan sniffian yn ddirmygus. 'Dwi wedi deud a deud a deud am yr hen bêl-droed gwirion yna.'

'Do, Mam.'

Rhoddodd Alun winc ar Megan, ond welodd Megan

mohoni: roedd hi'n rhythu i lawr ar ei glin unwaith eto.

'Tyrd, Cadi, mi awn ni'n dwy i neud paned,' gorchmynnodd Mair, gan amneidio i gyfeiriad y drws fel tasa Cadi ddim yn gwybod lle roedd o.

Aeth y ddwy o'r parlwr gan adael y drws yn agored led y pen. Bu distawrwydd anghyfforddus rhwng Alun a Megan am ychydig – wel, roedd o'n anghyfforddus i Megan druan, beth bynnag. Doedd Alun ddim wedi sylwi arno o gwbwl: roedd o'n rhy brysur yn agor a chau ei lyfr nodiadau newydd gan geisio dychmygu sut y byddai'n edrych, un diwrnod, gyda phob un dudalen wedi'i llenwi – a hynny yn ei ysgrifen orau un.

'Rwyt ti yn ei licio fo, yn dwyt ti, Alun?' gofynnodd Megan eto, er mwyn torri ar y tawelwch oedd bron â gwneud iddi sgrechian.

'Argol, yndw! Doedd dim isio i chdi, Meg.'

Falla ddim, meddyliodd Megan, ond ro'n i isio gneud – fedri di ddim gweld hynny, hogyn?

'Gwranda,' meddai hi wrtho, 'mi glywais i am yr hyn a ddigwyddodd ddoe, yng Nghae Pen-rhos.'

Roedd sŵn llestri'n taro yn erbyn ei gilydd yn dod o gyfeiriad y gegin, a gan roi ei fys ar ei wefusau, cododd Alun a mynd am y drws efo'r bwriad o'i gau, ond daeth wyneb yn wyneb â Cadi, ar ei ffordd yn ôl i'r parlwr gyda llestri ar hambwrdd.

'Be ti'n neud?' gofynnodd Cadi.

'Mynd i gau'r drws yma ro'n i,' atebodd Alun. 'Ydach chi'ch dwy wedi cael eich magu mewn cae?'

Gostyngodd Cadi ei llais. 'Dwyt ti ddim yn disgwyl i Mam adael dyn a dynes ifanc yn y parlwr ar eu pennau eu hunain, efo'r drws wedi'i gau, siawns?'

'Be? Callia, wnei di. Dim ond Megan ydi hi!' chwarddodd Alun. Trodd a rhoi gwên lydan ar Megan wrth i Cadi ddod i mewn gyda'r llestri te. 'Gwranda ar y rhain. Glywaist ti erioed y fath lol?'

Mentrodd Cadi edrych ar Megan. Roedd ei hwyneb yn gochach nag erioed a'i llygaid yn sgleinio. Gwgodd Cadi ar ei brawd wrth iddi fynd allan eto, ond yr unig beth a wnaeth yr hulpyn oedd sbio arni hi'n hurt. Wedi i Cadi fynd, trodd Alun yn ôl at Megan.

'Be'n union glywaist ti?' sibrydodd.

Edrychodd Megan arno fo'n llawn am y tro cyntaf ers iddi gamu dros riniog y Gelli y diwrnod hwnnw. Mae rhywbeth wedi'i chynhyrfu hi, meddyliodd Alun; sgwn i be?

'Fod Tecwyn Tŷ'r Nant wedi rhoi andros o gweir i chdi,' meddai Megan, 'a dy fod allan ohoni'n gyfan gwbwl am rai munudau.'

'Sshh!'

Edrychodd Alun yn nerfus at y drws a meddyliodd Megan, Mi faswn innau'n licio dy ysgwyd di'n iawn rŵan hyn, hefyd!

'Dydi Mam ddim yn gwybod,' sibrydodd Alun. 'Dim ond fy mod i wedi cael codwm, dyna i gyd.'

'Mae o'n wir, felly?' meddai Megan, heb ostwng dim ar ei llais.

'Pwy ddeudodd wrthat ti?' gofynnodd Alun.

'Mae'r stori'n dew o gwmpas Nantfechan,' atebodd Megan. 'Falle na chaiff o chwarae eto.'

'Tecwyn?'

'Dyna be mae pawb yn ei ddeud. Mi aeth o dros ben

llestri'n llwyr, medden nhw.' Craffodd ar Alun. 'Pam, Alun? A chitha'n arfer bod yn gymaint o ffrindiau ers talwm.'

Tro Alun oedd hi i sbio i ffwrdd.

'Dwi ddim yn gwbod, Meg,' meddai.

'O – Alun!'

'Be wyt ti ddim yn ei wybod?' gofynnodd Mair Roberts wrth ddod i mewn gyda'r tebot. Dilynodd Cadi hi gyda hambwrdd arall yn cynnwys teisen a phlatiau bychain.

'O ... y ... pa gerdd dwi am ei hysgrifennu yn y llyfr gynta,' meddai Alun yn frysiog. Roedd ei chwaer yn gwgu arno eto. Oedd hi wedi bod yn clustfeinio'r tu allan i'r drws?

'Be, oes angen meddwl?' meddai ei fam. 'Honno wnest ti ennill efo hi yn steddfod y capel ers talwm, yndê? Honno am yr hen dŷ hwnnw. Mae hi'n dal i godi ias arna i, bob tro bydda i'n ei darllen hi.'

A finnau hefyd, Mam, meddyliodd Alun. Mae hi'n codi llawer iawn mwy o ias arna i, tasach chi ond yn gwybod. Cymaint felly nes fy mod i'n gyndyn iawn o ddechrau'r llyfr bendigedig hwn efo hi.

Brifo Teimladau

Hanner awr yn ddiweddarach a Megan yn paratoi i adael, diolchodd Alun iddi eto.

'Mi fydd yn rhaid i ti dalu'r pwyth yn ôl, Alun,' meddai ei fam wrtho, 'pan fydd hi'n ben-blwydd ar Megan.'

'Y ... bydd. Bydd,' meddai Alun. 'Ymmm ... pryd mae o, Meg?'

'Paid â phoeni, Alun,' meddai Megan yn ddigon swta.

'Na, na – chwarae teg.'

'Mae o newydd fod, lai na mis yn ôl.' Cerddodd i ffwrdd ar draws y buarth gan wneud i'r ieir glwcian yn uchel wrth iddyn nhw fflapio o'i ffordd.

'Y flwyddyn nesa felly, 'ta!' gwaeddodd Alun ar ei hôl ond diflannodd Megan heb droi na chodi'i llaw na dweud yr un gair.

Be goblyn sy'n bod arni hi? meddyliodd Alun wrth droi i fynd yn ôl i mewn, ond roedd ei fam a'i chwaer yn sefyll yno ac yn gwgu arno.

'Be sy?' gofynnodd.

'Nefi wen, Alun!' ebychodd Cadi.

'Be?'

'Mae isio cicio dy hen ben-ôl hurt di bob cam i Dimbyctŵ ac yn ôl!' meddai ei fam.

'Y? Pam, be ydw i wedi'i neud eto fyth?' gofynnodd Alun.

Rhythodd y ddwy arno, yn amlwg yn methu'n glir â chredu eu clustiau.

'Oes raid i ti ofyn?' rhyfeddodd Cadi.

'Wel, oes – neu faswn i ddim yn gofyn, na faswn?'

Trodd Cadi at Mair. 'Mae o'n ddall, Mam. Yn ogystal â hollol ddwl.' Edrychodd ar Alun. 'Pam wyt ti'n meddwl bod Megan wedi dŵad â'r anrheg yna i ti?'

'Am ei bod hi'n ben-blwydd arna i, yndê?' atebodd Alun.

'O, Alun!'

Trodd Cadi oddi wrtho fel petai hi am ddechrau taro'i phen yn erbyn postyn y drws.

'Ma'r hogan druan wedi gwirioni'i phen amdanat ti, y tebot!' meddai Mair.

'Y?'

'Ydi, tad. Er, dyn a ŵyr pam. A synnwn i ddim na fasa'r greadures fach wedi dechrau ailfeddwl erbyn rŵan, ar ôl dy ymddygiad di heddiw.'

Edrychodd Alun o un i'r llall. Yna ysgydwodd ei ben.

'Chi sy'n dychmygu pethau, siŵr.'

'Naci, Alun!' Curodd Cadi ei throed ar y llawr – un ai hynny neu gicio'i brawd llywaeth yn ei goes, meddyliodd. 'Does ond isio i ti edrych ar yr hogan i weld ei bod hi dros ei phen a'i chlustiau mewn cariad efo chdi.'

'O, paid â siarad drwy dwll ...'

'Alun!' cyfarthodd Mair.

'Paid â siarad drwy dy het,' meddai Alun. Ond roedd ei wyneb yntau bellach yn goch fel tomato.

'Mae isio gras efo chdi, wir,' meddai ei fam. 'Mi wnest ti frifo teimladau Megan heddiw, fwy nag unwaith.'

'Sut?'

'Be wnest ti gynnau, wrth drio cau drws y parlwr?'

gofynnodd Cadi. 'Chwerthin – a deud rhywbeth fel, "Dim ond Megan ydi hi!" Pan ddois i i mewn, doedd yr hogan ddim yn gwbod lle i roi ei hun, y beth fach. Ac wedyn, pan oedd hi'n gadael, a tithau'n deud fel nad oes gen ti unrhyw glem pryd mae hi'n cael ei phen-blwydd!'

'Ond *dydw* i ddim yn gwbod!' taerodd Alun.

'Falla ddim, ond doedd dim isio'i ddeud o fel 'na, yn blwmp ac yn blaen, nag oedd? Fel tasat ti ddim yn brifo digon arni hi bob dydd Sul.'

'Be?' meddai Alun. 'Be ti'n feddwl – bob dydd Sul? Sut allwn i frifo neb, a finnau'n eistedd fel delw yn y capel?'

'Yn hawdd iawn,' atebodd Cadi, 'drwy droi i fod y peth tebyca welais i erioed i fwch gafr pan mae Glesni Williams yn dŵad i mewn.'

'Cadi,' rhybuddiodd ei mam hi.

'Ma'n ddrwg gen i, Mam, ond ma'n wir,' meddai Cadi. 'Fo a phob dyn ifanc yn y capel 'na – ac ambell un mewn oed, hefyd. Does ond isio iddi hi gerdded heibio ac maen nhw i gyd yn dechrau glafoerio. Rydach chi wedi sylwi eich hun, dwi'n gwbod. Mae pawb wedi sylwi – yn enwedig Glesni Williams ei hun. Mae hi wrth ei bodd, does ond isio i chi sbio ar ei hen wep mawreddog hi.'

'O'r gorau, Cadi, dyna ddigon ar ryw hen siarad hyll fel 'na,' meddai Mair.

Ond roedd Cadi'n benderfynol o gael gorffen. 'Ac os ydi pawb arall wedi sylwi ar y ffyliaid hogiau 'ma – gan gynnwys hwn,' meddai am ei brawd, 'yna mi allwch fentro bod Megan druan wedi sylwi, a dwi'n siŵr ei fod o'n mynd drwyddi hi fel cyllell bob un tro.'

Bwli

Gorweddai pentref Nantfechan mewn dyffryn bychan rhwng dau fryn. Ar un bryn yr oedd fferm y Gelli; ar y llall, bron iawn yn union gyferbyn â'r Gelli, yr oedd Allt Wen, cartref Megan. Drwy ffenest ei hystafell wely a dros fuarth Allt Wen, gallai Megan weld yr holl ffordd draw at y Gelli. Ar ddiwrnod clir gallai adnabod y ffigyrau bychain a welai hi'n symud yn ôl ac ymlaen rhwng y ffermdy, yr adeiladau eraill, y das wair a'r caeau.

A gallai Alun sbio'n ôl dros y dyffryn i gyfeiriad Allt Wen ac ati hi – pe bai'r mwnci'n trafferthu i wneud hynny, meddyliodd Megan yn chwerw, ond go brin fod y bwbach erioed wedi meddwl codi'i hen ben surbwch. Yr holl nosweithiau dwi wedi'u gwastraffu'n syllu fel ffŵl dros y dyffryn, yn eistedd ar sil fy ffenest ac yn ochneidio wrth wylio'r Gelli'n pendwmpian yng ngolau'r lleuad.

Wel, fydd yna ddim mwy o hynny! meddyliodd (er y gwyddai'n iawn nad oedd ganddi obaith aderyn du o gadw'r addewid hwnnw). Ond roedd hi wedi gwylltio'n gacwn, doedd dim dwywaith am hynny, a fasa hi'n hidio'r un iot tasa hi ddim yn taro llygad ar Alun Gelli byth eto.

Cyrhaeddodd bont Nantfechan bron heb sylweddoli ei bod hi yno. Roedd hi wedi cerdded i lawr o'r Gelli wedi gwylltio cymaint fel ei bod yn wyrth nad oedd yr holl flodau yn y gwrychoedd a'r caeau wedi gwywo bob un.

Eisteddodd ar y bont i gael ei gwynt ati. Roedd yn

brynhawn poeth a hithau yn ei dillad Sul o hyd. Rhoddai'r byd am fedru dadfachu'r bachau bychain ar ei ffrog a'i thynnu dros ei phen, diosg ei bodis a'i phais laes a'i phais isaf, datod careiau ei hesgidiau a'u cicio oddi ar ei thraed, a rowlio'i sanau i lawr ei choesau cyn tynnu'r pinnau o'i gwallt a gorwedd yno yn nŵr y nant, yn hollol noeth.

Mi fasa hynny'n rhoi sioc a hanner i bobol y capel! meddyliodd. Dechreuodd wenu wrth feddwl am wynebau rhai ohonyn nhw, ond yna gwgodd wrth i'r syniad nesaf ei tharo: tasa'r llwdwn Alun Gelli hwnnw'n digwydd dod heibio, yna go brin y basa fo'n sylwi fy mod i yno – yn enwedig tasa fo ar ganol meddwl am ryw gerdd neu'i gilydd.

Edrychodd i lawr ar y dŵr. Roedd y nant fel petai hi'n ei gwahodd i dynnu ei hesgidiau a golchi ei thraed yn y dyfroedd oer. Mi fasa hi wedi gwneud hynny, hefyd, ond dewisodd Tecwyn y foment honno i ddod allan o'r dafarn i fyny'r lôn gan disian yn uchel.

Hwn! meddyliodd Megan, ac wrth iddi feddwl hynny, trodd Tecwyn i'w chyfeiriad a'i gweld. Cododd ei law.

'Sut ma'i, Meg?' galwodd – a gwenu arni fel giât.

O, diar.

Oni bai fod Tecwyn wedi gwenu fel yna, efallai'n wir na fasa Megan wedi gwneud mwy na sniffian yn ddirmygus a throi ei phen i ffwrdd oddi wrtho. Ond roedd y wên fel ... wel, yn ddigon eironig fel chwifio blanced goch at darw, meddyliodd Megan wedyn.

Llamodd i fyny'r lôn tuag ato – wedi anghofio popeth am y ffaith ei bod hi, funudau ynghynt, wedi gwylltio'n lân efo Alun Gelli.

'Be ddeudist ti, Tecwyn?' gofynnodd.

Roedd ei llais yn beryglus o isel, a llithrodd y wên oddi ar wyneb Tarw Nantfechan.

'Dim ond gofyn sut oeddat ti,' meddai.

'Sut ydw i? Be am Alun?'

'Y?'

'Wyt ti wedi bod i fyny i'r Gelli heddiw o gwbwl?'

'Be? Nac ydw i,' atebodd Tecwyn. 'Pam ddylwn i fynd yno?'

Rhythodd Megan arno. Taswn i'n ddyn, meddyliodd, mi faswn i'n plannu fy nwrn reit yng nghanol ei hen wep o.

'Wyt ti'n meiddio gofyn hynny, ar ôl be wnest ti i Alun ddoe?'

'Arno fo roedd y bai,' meddai Tecwyn, 'am fynd o dan draed rhywun.'

Er bod y dafarn ar gau heddiw, roedd y drysau'n llydan agored a llifai drewdod neithiwr allan drwyddyn nhw – cymysgedd codi-pwys o hen gwrw a mwg baco. Symudodd Megan ychydig i'r ochr. Profiad fel hyn, meddyliodd, fasa cael meddwyn yn bytheirio yn fy wyneb.

'Beth bynnag,' ychwanegodd Tecwyn, 'does gynno fo ddim busnes chwarae pêl-droed os nad ydi o'n gallu cymryd ambell godwm heb redeg adra at ei fam.'

'Doedd o ddim mewn unrhyw gyflwr i redeg i nunlle!' meddai Megan. 'Roedd o allan ohoni'n gyfan gwbwl am rai munudau – diolch i ryw labwst mawr fath â chdi a dy driciau budron! Mae pawb oedd yno'n deud mai arnat ti oedd y bai. Fasat ti ddim wedi cael dy anfon oddi ar y cae fel arall. A wyddost be arall ma' pawb yn ei ddeud?'

'Na wn i, ond ma'n siŵr fy mod i am gael gwbod.'
Ceisiodd Tecwyn swnio fel nad oedd ganddo'r un affliw o ots, gan edrych i fyny i'r awyr fel petai'r sgwrs yn ei ddiflasu'n llwyr.

'Ei bod hi'n hen bryd i ti gael dy rwystro rhag chwarae i dîm Nantfechan. Bwli wyt ti, Tecwyn Tomos, ac mae pobol wedi cael llond bol ar dy gastiau di.'

Erbyn hyn, roedd Tecwyn yn ei chael hi'n anodd edrych yn ddi-hid. Ychydig iawn o bobol oedd wedi meiddio siarad fel hyn gyda Tharw Nantfechan yn ddiweddar.

'Wyt ti wedi gorffen?' meddai wrth Megan.

Syllodd Megan arno am ychydig, ac ochneidio.

'Tecwyn, Tecwyn,' meddai. 'Be sy wedi digwydd i chdi yn ddiweddar?'

'Be ti'n feddwl?'

'Rwyt ti wedi newid cymaint. Roeddat ti'n arfer bod yn hen hogyn iawn, ac roeddan ninnau'n gallu cael hwyl iawn efo chdi. Ac roeddat ti ac Alun yn gymaint o ffrindiau ar un adeg. Be ddigwyddodd rhyngddoch chi'ch dau?'

Edrychodd Tecwyn arni. Roedd ei wyneb – a oedd eiliadau ynghynt yn fflamgoch – wedi dechrau troi'n wyn.

'Dim byd!' meddai. 'Pam? Be ti'n feddwl, Megan? Ddigwyddodd dim byd rhyngddon ni, siŵr. Pam? Ydi Alun Gelli wedi deud rhywbeth?'

O-ho, meddyliodd Megan, mi *wnaeth* rywbeth ddigwydd rhyngddyn nhw, felly. Ond be? Be?

Penderfynodd ei bryfocio ychydig. 'Efallai ei fod o ...' dechreuodd ddweud.

Ond roedd hyn yn gamgymeriad. Cydiodd Tecwyn ynddi gerfydd ei braich.

'Be, be ddeudodd o?' gwaeddodd, reit yn ei hwyneb fwy neu lai. Roedd ei fysedd cryfion yn gwasgu cnawd tyner ei braich fel darnau o ddur, a gwyddai Megan ei fod o'n ysu am gael ei hysgwyd yn ffyrnig, bron fel ci yn ysgwyd llygoden fawr.

Ceisiodd Megan ddianc oddi wrtho ond roedd ei afael yn ei braich yn rhy gryf iddi fedru symud, ac roedd y boen yn gwneud i'w llygaid ddyfrio. Bobol annwyl, meddyliodd, dwi'n gallu dallt pam mae pawb yn galw hwn yn 'Tarw Nantfechan'.

'Tecwyn!' gwichiodd.

'Be ddeudodd o?'

'Wnei di ollwng fy mraich i?'

'Be?'

Rhythodd Tecwyn arni, yna crwydrodd ei lygaid at ei braich a gweld bod ei fysedd wedi'u cloi amdani.

'O!'

Gollyngodd Tecwyn ei braich yn sydyn, fel petai o newydd

sylweddoli ei fod o'n cydio mewn procer poeth.

'Meg,' meddai. 'Meg, ma'n ddrwg gen i. Wnes i ddim ...'

Dechreuodd godi'i law eto a neidiodd Megan oddi wrtho gan rwbio'i braich.

'Be gythral sy'n bod arnat ti, hogyn!'

'Ma'n ddrwg calon gen i.'

'Ddeudodd Alun ddim byd, Tecwyn,' meddai Megan. 'Fi oedd yn tynnu arnat ti. Dwi wedi bod yn gofyn a gofyn iddo fo ers pan oeddan ni'n blant, ond dwi ddim mymryn callach ar ôl yr holl flynyddoedd yma.' Plygodd ei braich a'i sythu, dro ar ôl tro, nes ei bod yn siŵr fod y gwaed yn llifo drwyddi fel y dylai. 'Rwyt ti'n lwcus nad ydi'r un o'm brodyr i yma rŵan,' meddai wrtho. 'Ond wedyn, ma'n siŵr na fasat ti wedi meiddio nghyffwrdd i tasa 'na ddyn yma efo fi. Fel yna mae hen fwlis fel chdi'n ymddwyn, yndê.'

Mi fydd gen i gleisiau gogoneddus ar y fraich yma am ddyddiau rŵan, meddyliodd Megan wrth gerdded i fyny'r allt a arweiniai o'r pentref i'w chartref – yr un allt a roddodd ei henw i fferm Allt Wen. Trodd wrth y tro ac edrych yn ôl. Roedd Tecwyn yn dal i sefyll yno'r tu allan i'r dafarn, ond doedd o ddim yn sbio ar ei hôl. Yn hytrach, syllai i lawr ar y ddaear fel tasa fo'n sefyll ar lan bedd rhywun.

Doedd dim dwywaith amdani, roedd Megan Allt Wen wedi cael ysgydwad go arw. Ond yr hyn a lenwai ei meddwl wrth iddi gerdded am adref oedd yr olwg a welodd hi ar wyneb Tecwyn Tŷ'r Nant.

Ei wyneb gwyn o.

Roedd fel petai arno fo'r ofn mwyaf ofnadwy.

Ond ofn *beth*?

Sbeciwr

'Dwi wrth fy modd yn gwrando ar sŵn y tylluanod yn y coed. Mi fydda i'n amal yn codi o 'ngwely, yn agor y ffenest ac yn pwyso allan ohoni er mwyn gallu gwrando arnyn nhw'n well.'

Roedd blwyddyn reit dda ers i Tecwyn glywed Glesni Williams yn dweud hyn wrth rywun ym mhorth y capel. Droeon wedyn, yn ystod y flwyddyn honno, roedd o wedi gorwedd yn ei wely'n dalp o chwys oer gan ofyn iddo'i hun: Be ar y ddaear wyt ti'n ei neud, hogyn? Wyt ti'n gall? Be tasa Huws Plismon yn dy ddal di'n bustachu dros y clawdd yna? Neu Erasmus Williams yn dy weld di o'r tŷ? Be tasa Glesni ei hun yn dy weld di?

A chyn iddo fynd i gysgu'r nosweithiau hynny, byddai Tecwyn yn addo iddo'i hun na fyddai fyth – byth! – eto'n mynd ar gyfyl tŷ'r gweinidog ym mherfeddion nos.

Ond ...

Wythnos yn ddiweddarach, os oedd hi'n noson sych a gweddol gynnes, yno y byddai o unwaith eto, ar ei bedwar y tu ôl i'r llwyni yng ngardd gefn Erasmus Williams, a'i lygaid wedi'u hoelio ar ffenest ystafell wely Glesni. Yno yr âi ar ôl swper ar nos Sul. Byddai wedi blino gormod ar ôl cloi a glanhau'r dafarn iddo feddwl am fynd i nunlle heblaw i'w wely yn ystod yr wythnos.

Dydi o ddim fel taswn i'n gneud unrhyw beth ych-a-fi, chwarae teg, meddai wrtho'i hun bob tro. Dydi o ddim fel taswn i'n dod yma i sbecian ar Glesni'n newid neu'n ymolchi neu'n gneud unrhyw beth preifat felly. 'Dim ond isio ...'

Eisiau be?

Dim ond isio'i gweld hi ydw i, yn y ffenest.

Ia, yn y ffenest – yn ei choban.

Argol, prin dwi'n gallu ei gweld hi! Dim ond siâp gwyn yn y ffenest wrth iddi bwyso allan. Ma'r llwyni yma'n rhy bell oddi wrth y tŷ i mi fedru gweld dim byd mwy.

Ond eto, doedd o ddim i *fod* yno. Ac roedd o *yn* sbecian, yn doedd? Petai'n cael ei ddal, byddai pawb yn ei alw fo'n 'Peeping Tom', a fel y creadur hwnnw a gafodd ei ddal yn sbecian ar Lady Godiva ers talwm. Ia, ond roedd honno'n marchogaeth ceffyl yn noethlymun drwy strydoedd Coventry. Go brin fod Glesni'n debygol o wneud unrhyw beth felly drwy unig stryd Nantfechan.

Gwyddai Tecwyn yn iawn y byddai'n destun sbort am flynyddoedd lawer. Byddai pobol yn ei osgoi o ar y stryd, yn troi'u hwynebau oddi wrtho ac yn ffieiddio ato fo. Byddai nifer yn rhoi'r gorau i fynd i'r dafarn, neu o leiaf yn mynnu nad oedden nhw'n prynu cwrw gan ryw sglyfath budur fel Tecwyn.

Ond dwi ddim yn gneud dim byd anghynnes! meddai wrtho'i hun, dro ar ôl tro. Ond gwyddai ei fod yn cyflwyno darlun digon rhyfedd i bwy bynnag a ddigwyddai ei weld yno, ar ei bedwar y tu ôl i'r llwyni yng ngardd gefn y Parchedig Erasmus Williams.

Ac i wneud y peth yn fwy rhyfedd fyth, ambell noson pan na fyddai'r tylluanod i'w clywed yn hwtian, byddai'n eu dynwared nhw ei hun gan chwythu drwy ei ddwylo.

Er mwyn denu Glesni i'w ffenest.

Mae isio sbio dy ben di, hogyn!

Wn i, wn i, cytunai Tecwyn yn drist â'r llais bach slei hwnnw a glywai yn ei ben.

Lol Botes Maip

Erbyn hyn, o leiaf roedd ei rieni wedi rhoi'r gorau i holi ble roedd o'n mynd.

'Dwi'n picio allan am dro bach,' dywedai bob tro. 'Fydda i ddim yn hir.'

Y tro cyntaf iddo fentro allan, roedd ei dad a'i fam wedi gwneud eu perfformiad arferol o sbio ar ei gilydd a siarad fel petai Tecwyn ddim yno o gwbwl.

'Be ddeudodd o, Richard?'

'Wyddost ti be, Jini, dwi'n meddwl 'mod i'n dechrau mynd yn fyddar. Mi faswn i'n taeru bod yr hogyn 'ma newydd ddeud ei fod o'n picio allan am dro.'

'Mi faswn innau'n barod i daeru hynny hefyd. Lle'r eith o'r adeg yma o'r nos?'

'Dim ond am dro,' ochneidiodd Tecwyn. 'Dwi'n teimlo fel chydig o awyr iach.'

'Sobor o beth, Richard bach, fod ein hunig blentyn yn diflasu ar gwmni ei dad a'i fam.'

'Yndê hefyd, Jini? Wneith o ddim byw i fod yn hen ŵr, mae hynny'n saff. Be ma'r Llyfr Mawr yn ei ddeud? "Anrhydedda dy dad a'th fam; fel yr estynner dy ddyddiau ar y ddaear".'

Ac ar ôl mis o hyn ...

'Lle *mae* yr hogyn yma'n mynd, Richard?'

'Dwi'n dechrau meddwl bod gynno fo gariad, Jini.'

'Cariad od ar y naw, os ydi hi ddim ond yn dŵad allan yn

hwyr yn y nos ar nos Sul, Richard.'

'Ylwch,' meddai Tecwyn, 'dim ond isio rhyw awr neu ddwy ar fy mhen fy hun ydw i, yn cerdded o gwmpas ac yn mwynhau tawelwch y nos. Iawn? Be sy mor od am hynny? Dyn a ŵyr, mae pob noson arall o'r wythnos yn ddigon swnllyd yma.'

Roedd y ddau wedi nodio arno, a golwg wedi'u sobri arnyn nhw. Ond yna, wrth iddo agor y drws i fynd allan, gwaeddodd y ddau ar ei ôl, 'Cofia ni ati, pwy bynnag ydi'r greaduras fach druan!' Roedden nhw'n bloeddio chwerthin wrth iddo gau'r drws â chlep oedd yn llawer rhy uchel i nos Sul barchus.

Bellach, roedden nhw wedi hen arfer ac wedi rhoi'r gorau i dynnu ei goes. Ond heno, yn dilyn y ffrae a gafodd yn gynharach efo Megan Allt Wen, roedd ei fam wedi galw arno wrth iddo gychwyn allan.

'Wyt ti'n gneud peth call, dywed?' gofynnodd Jini.

Rhythodd Tecwyn arni. Doedd bosib fod ei fam yn gwybod pam roedd o'n mynd allan?

'Be dach chi'n feddwl, Mam?'

'Mynd allan a hithau'n ddu fel bol buwch, efo'r holl sbeis Jyrman 'ma o gwmpas y lle,' ac edrychodd Jini o'i chwmpas fel petai hi'n disgwyl gweld ysbïwyr Almaenig yn neidio allan o'r corneli.

Ochneidiodd Tecwyn. Ers rhai misoedd bellach – yn wir, ers mis Ebrill pan gafodd cwpwl priod o'r enw Mr a Mrs Gould eu harestio yn Llundain a'u cyhuddo o fod yn ysbïwyr – roedd cryn sôn fod Prydain yn berwi gydag ysbïwyr o'r Almaen.

'Mam, be ar wyneb y ddaear fasa'r "sbeis" yma'n dda yn Nantfechan?'

'Brenin mawr, hogyn, dwyt ti ddim yn darllen y papur newydd? Maen nhw ym mhobman!' meddai Jini.

Gwylltiodd Tecwyn. 'Yr argol fawr! Nac ydyn, Mam, dydyn nhw ddim! Hen sterics gwirion ydi o i gyd, yr holl siarad hurt yma am ysbïwyr a rhyfel ac ati. Does 'na ddim ysbïwyr yma! A fydd yna ddim rhyfel yn erbyn Jyrmani chwaith! Lol botes maip ydi o i gyd! Mi fasa'n dda gen i tasa Nhad yn rhwystro pob un o'i gwsmeriaid rhag deud 'run gair am unrhyw ryfel. Taswn i'n cael y dewis, fasa'r un o'r ffyliaid sy'n mynnu hefru am y peth drwy'r amser yn cael rhoi ei droed dros riniog y dafarn yma eto!'

A gan adael ei fam yn sefyll yno a'i cheg yn llydan agored, llamodd Tecwyn allan i ddüwch y nos.

Ysbïwr

Doedd Tecwyn ddim wedi bwriadu colli'i dymer fel yna, yn
enwedig efo'i fam, o bawb. Gwyddai ei fod o'n dal i deimlo'n
biwis ar ôl y sgwrs – Sgwrs? Ffrae ti'n feddwl! – roedd o wedi'i
chael yn gynharach efo'r Megan Allt Wen fusneslyd honno.
Rêl hen drwyn, os bu un erioed, meddyliodd Tecwyn. Doedd
yr hyn oedd wedi digwydd rhyngddo fo ac Alun Gelli yn ddim
o'i busnes hi.

Ac roedd yr holl siarad diweddar yma am ryfel yn mynd ar
nerfau Tecwyn. Na – bydd yn onest efo chdi dy hun,
meddyliodd. Mae'n codi ofn arnat ti, oherwydd mae rhywbeth
yn dweud wrthot ti fod yr holl bobol yma yn llygaid eu lle,
mai rhyfel fydd hi, a hynny'n go fuan hefyd. Nonsens llwyr
oedd yr holl sôn am ysbïwyr yn llechu ym mhob twll a
chornel – doedd dim dwywaith am hynny – ond roedd y sôn
am ryfel yn canu rhyw gloch ofnadwy yn nyfnderoedd ei
enaid.

Pethau fel hyn oedd yn mynd drwy feddwl Tecwyn Tŷ'r
Nant wrth iddo gyrraedd clawdd cefn tŷ'r gweinidog a sgrialu
drosti. Fel arfer, byddai'n aros am funud neu ddau cyn
dringo'r clawdd er mwyn sicrhau nad oedd yna neb o gwmpas
a fyddai'n debygol o'i weld yn bustachu drosti, ond nid felly
heno; roedd ganddo ormod ar ei feddwl.

Dyna pam na welodd y ddau gysgod tywyll oedd wedi aros
yn stond ym mhen pella'r lôn.

*

Dau frawd oedd y cysgodion hyn, a'r unig beth welon nhw oedd rhywbeth a edrychai fel cysgod arall yn diflannu dros glawdd gefn tŷ'r Parchedig Erasmus Williams.

Yn wir, doedden nhw ddim yn siŵr iawn oedden nhw wedi gweld unrhyw beth o gwbl.

'Welaist ti hynna rŵan, Bob?' holodd John, yr ieuengaf o'r ddau.

'Dwi ddim yn siŵr,' atebodd ei frawd.

'Cysgod.'

'Dwi ddim yn amau.'

'Yn mynd dros y clawdd.'

'Felly ro'n innau'n meddwl.'

Bu tawelwch rhyngddyn nhw am funud neu ddau, yna meddai John Eto'i Ddodwy: 'Ti'n meddwl, tybed, ai ... llwynog oedd o?'

Roedd y ddau yma ymhlith cwsmeriaid mwyaf ffyddlon Tŷ'r Nant. Gweision fferm oedden nhw, yn byw mewn bwthyn di-raen ar gyrion y pentref.

Dau ddyn canol oed oedden nhw, yr hynaf yn tynnu am ei chwe deg a'i frawd bum mlynedd yn iau. Stwcyn go dew oedd Bob, yr hynaf, gyda mwstásh sgraglyd. Gwisgai hen het ddisiâp wedi'i thynnu i lawr yn dynn am ei ben, fel petai rhywun cryf wedi'i sodro amdano. Doedd neb yn cofio pryd oedd y tro diwethaf iddo gael ei weld heb yr het yma, a chredai pawb ei fod o'n cysgu ynddi bob nos.

Un hynod o fain oedd ei frawd, John. Dychmygwch slywen gyda choesau, a dyna i chi John. Roedd o hefyd yn foel fel wy, a gwisgai gap stabal wedi'i dynnu ar un ochr i'w ben, nes bod pig y cap bron iawn â chrafu yn erbyn ei glust chwith.

Gyda'r het a'r cap, roedd y ddau heno'n gwisgo siaced a throwsus du gan eu bod nhw ar eu ffordd i wneud ychydig o botsio. Bob a John Wmffra oedd eu henwau, ond doedd neb yn eu galw'n 'Wmffra' (heb sôn am 'Humphreys', eu cyfenw swyddogol) y dyddiau yma.

John a Bob Eto'i Ddodwy oedd y ddau ers dros ugain mlynedd – ers i hypnotydd o'r enw The Great Sinistro ymweld â'r ardal. Prif dric hwn – yn wir, ei unig dric – oedd galw am wirfoddolwyr o'r gynulleidfa, eu rhoi nhw mewn swyngwsg, ac yna'u cael nhw i wneud pethau gwirion ar y llwyfan cyn eu deffro eto.

Ond cafodd drafferth ofnadwy i ddeffro John Wmffra. Yn y diwedd, bu'n rhaid iddo daflu bwcedaid o ddŵr oer drosto cyn i John ddod ato'i hun.

Wel, fwy neu lai! Oherwydd aeth John adref y noson honno dan feddwl yn siŵr mai iâr oedd o. 'Mae gan ieir yr ardal yma le i ddiolch nad ydi o'n meddwl ei fod o'n geiliog,' oedd sylw sarrug ei frawd mawr. Credai Bob y byddai John yn iawn drannoeth ar ôl noson dda o gwsg, ond na: roedd ei frawd yn fwy iâr-aidd fyth, ac yn mynd o gwmpas y lle'n clwcian a chrafu'r pridd efo blaen ei droed dde.

Fel hyn y bu John druan am wythnosau. Ei frawd ei hun oedd yn gyfrifol am roi ei enw newydd iddo, oherwydd bob tro y byddai rhywun yn gofyn i Bob sut oedd John erbyn hyn, ei ateb fyddai, 'Wel, mae o eto i ddodwy yndê.' Felly dros nos, bron, trodd y ddau yn Bob a John Eto'i Ddodwy.

Daeth pethau i ben pan dreuliodd John noson gyfan ar ben to'r cwt yng ngwaelod yr ardd, yn clwcian mewn braw ac yn credu bod yna lwynogod ar ei ôl o. Bu'n rhaid cael hypnotydd meddygol o un o ysbytai Lerpwl draw ato, a diolch byth, llwyddodd y gŵr bonheddig hwnnw i ddod â John yn ôl ato'i hun.

Er hynny, roedd John – hyd yn oed ugain mlynedd yn ddiweddarach – yn dal i deimlo'n nerfus os oedd o'n meddwl bod yna lwynog yn prowla o gwmpas y lle. Dyna pam roedd o wedi swnio braidd yn ofnus wrth holi tybed ai llwynog oedd y cysgod a aeth dros glawdd gardd gefn y gweinidog.

'Go brin, achan,' meddai Bob ei frawd. 'Roedd o'n rhy fawr ac yn rhy flêr, ac yn edrych fel tasa fo wedi bustachu dros y clawdd yna. Mi fasa unrhyw gadno wedi llithro drosti fel cysgod.'

'Ia, ond cysgod welon ni, Bob,' meddai John, yn bell o fod yn hapus efo'r sefyllfa.

'Wn i, wn i – ond nid cysgod llwynog oedd o, dwi'n deud wrthat ti.'

'Cysgod be oedd o, 'ta?' holodd John.

Er ei bod hi'n noson dywyll, edrychodd Bob o'i gwmpas cyn ateb dan sibrwd.

'Sbei,' meddai. 'Un o'r sbeis 'ma, ar f'enaid i.'

'Argol, ti'n meddwl?' sibrydodd John yn ôl.

'Be arall fasa'n sleifio o gwmpas y lle 'ma ym mherfeddion nos?' gofynnodd Bob, heb sylweddoli mai dyna'n union yr oedd o a'i frawd yn ei wneud. 'Tyrd, mi awn ni draw yna ar flaenau'n traed. A gofala fod y sach yna gen ti'n barod. Ydi hi gen ti?'

'Ydi, Bob.'

'I'r dim! *Heroes*, achan – dyna be fyddwn ni ar ôl dal y sbei 'ma. *Heroes!*'

Arwyr

Doedd gan Tecwyn ddim syniad fod y ddau arwr wedi'i weld o'n dringo dros y clawdd a'u bod nhw'n aros amdano yr ochr arall. Roedd ei feddwl yn mynnu neidio'n ôl ac ymlaen rhwng y ddwy ffrae a gafodd o y diwrnod hwnnw – y gyntaf efo Megan Allt Wen yn y prynhawn, a'r ail efo'i fam cyn dod allan heno.

Roedd y ddwy wedi cael yr un effaith arno – sef wedi'i lenwi ag ofn. Ofn y rhyfel oedd yn sicr o ddigwydd cyn bo hir, ac ofn yr atgof o'r hyn a welodd y prynhawn hwnnw, yn ymddangos y tu ôl i Alun Gelli.

Teimlai fod pethau'n cau amdano – be yn union, doedd o ddim yn gwybod, dim ond 'pethau'. Weithiau câi drafferth anadlu, hyd yn oed, fel tasa fo'n suddo dros ei ben mewn pwll dwfn o fŵd a baw, ac roedd o wedi'i ddal ei hun yn aml yn codi'i law i rwygo coler ei grys yn agored er mwyn medru anadlu'n well – a chofio wedyn nad oedd coler ganddo.

Un peth da, meddyliodd: ma'n amlwg nad ydi Alun Gelli wedi sôn gair wrth neb mod i wedi rhedeg i ffwrdd o'r tŷ hwnnw, nerth fy nhraed, gan ei adael o yno ar ei ben ei hun. Mi faswn i wedi clywed rhywbeth am hynny ymhell cyn hyn, a basa'r Megan fusneslyd yna'n siŵr o fod wedi fy holi ynglŷn â'r peth.

Ddylwn i ddim fod wedi mynd amdano fo fel y gwnes i ddoe ar Gae Pen-rhos, meddai wrtho'i hun, ond bellach alla i ddim hyd yn oed sbio ar Alun heb gofio am y diwrnod hwnnw

– hyd yn oed ar ôl yr holl flynyddoedd yma.

Ar ben hynny, roedd o wedi sylwi, yn y capel yr wythnos cynt, ar lygaid Glesni Williams yn pefrio pan aeth Alun Gelli i'r sêt fawr i wneud y darlleniad. Rŵan, doedd Tecwyn Tŷ'r Nant ddim yn ddwl. Gwyddai na fyddai gan eneth fel Glesni unrhyw ddiddordeb mewn rhyw lwmp mawr lletchwith fel fo – a byddai ei thad yn cael cathod bach tasa cannwyll ei lygaid yn canlyn hogyn y dafarn: on'd oedd Erasmus wedi cyfeirio fwy nag unwaith at Dŷ'r Nant fel 'Synagog Satan'? Ond roedd ei gweld hi'n gwenu fel yna ar Alun Gelli, o bawb, wedi corddi Tecwyn.

Ochneidiodd. Be ydw i'n dda yma? holodd ei hun. Cer adra, y ffŵl hurt. Roedd y tylluanod yn dawel heno hefyd, a doedd yntau ddim mewn hwyliau i'w dynwared nhw. Efallai mai ei mam hi sydd wedi bod yno drwy'r amser, meddyliodd – neu, yn waeth fyth, Erasmus ei hun yn ei grys nos!

Cododd dan duchan a throi yn ei ôl tua'r clawdd ...

... lle roedd Bob a John Eto'i Ddodwy yn aros amdano. Roedd y ddau frawd ar fin rhoi'r ffidil yn y to, y ddau ohonyn nhw wedi dechrau meddwl mai gweld pethau wnaethon nhw wedi'r cwbl, pan glywon nhw Tecwyn yn tuchan wrth iddo godi tu ôl i'r llwyni. Yna daeth mwy o duchan wrth i'r 'ysbïwr' ei lusgo'i hun i fyny i ben y clawdd, cyn ei ollwng ei hun i lawr yr ochr arall yn bwyllog.

Newydd roi ei draed ar y ddaear yr oedd Tecwyn pan drodd y nos dywyll yn dywyllach nag erioed wrth i hen sach fawr, fudur, ddrewllyd gael ei thynnu i lawr dros ei ben a'i ysgwyddau. Bloeddiodd yn uchel, wedi'i ddychryn am ei fywyd. Ceisiodd dynnu'r sach oddi arno, ond roedd rhywun yn cydio'n dynn yn ei gwaelodion a fedrai Tecwyn ddim cael digon o afael arni i'w chodi. Rhuodd eto a dechrau mynd yn wyllt, gan edrych fel melin wynt mewn corwynt wrth i'w freichiau a'i ddyrnau chwifio i bob cyfeiriad.

Suddodd un o'i ddyrnau i mewn i rywbeth meddal a chlywodd sŵn tebyg i aer yn dianc o dwll mewn teiar beic. Dyna un wedi'i setlo, meddyliodd. Ond fedrai o ddim symud rhyw lawer oherwydd roedd John Eto'i Ddodwy erbyn hyn yn gorwedd ar ei hyd ond yn dal ei afael ar waelod y sach. Felly, wrth i Tecwyn drio symud roedd o'n llusgo John efo fo, a theimlai Tecwyn fel tasa fo'n ceisio cerdded drwy fŵd trwchus.

Yna clywodd lais o gyfeiriad y ddaear. 'Bob! Gwna rywbeth! Ma'r sbei yma'n fy llusgo i dros y lle! Bob!'

Daeth gwich o rywle yn y tywyllwch.

'Fedra ... fedra i ddim, John. Ma'r diawl wedi fy saethu, yn fy mol!'

'Be?'

'Ar f'enaid i, mae o wedi fy lladd i. Mae hi ar ben arna i.'

Roedd Tecwyn yn adnabod y lleisiau'n syth. Y ddau glown Eto'i Ddodwy hynny! meddyliodd. Roedd yr ieuengaf, John, yn glynu fel gelen i'r sach ac roedd yn amhosib ei ysgwyd i ffwrdd. Doedd ond un peth amdani, felly. Plygodd Tecwyn ei goesau a'i roi ei hun i lawr fel tasa fo'n ei ollwng ei hun ar gadair freichiau gyffforddus. Daeth gwich arall, hir o gyfeiriad y ddaear wrth i John ollwng ei afael ar y sach: teimlai'r creadur fel petai yna eliffant wedi eistedd arno.

Rhwygodd Tecwyn y sach oddi arno a'i luchio i'r tywyllwch. 'Be ddiawl ydach chi'ch dau'n ei feddwl dach chi'n

ei neud?' rhuodd arnyn nhw.

Bu distawrwydd am rai eiliadau.

Yna, o'r tywyllwch rywle'r tu ôl iddo: 'John?'

'Be?' Gwich oedd hon, oedd yn dod o rywle dan ben-ôl Tecwyn.

'Ma'r sbei yma'n siarad Cymraeg!'

'Sbei?' meddai Tecwyn. 'Sbei?' Rhegodd yn uchel a hynny ar nos Sul, yng nghysgod clawdd tŷ'r gweinidog. 'Y fi sy 'ma, y penbyliaid uffern! Fi – Tecwyn!'

Taniodd fatsien a'i dal o flaen ei wyneb lloerig er mwyn i'r brodyr allu ei weld – wel, un ohonyn nhw, o leiaf: yr unig bethau roedd John yn gallu eu gweld oedd dwy glun fawr bob ochr i'w ben.

'Wel, ar f'enaid i!' ebychodd Bob, wedi dechrau cael ei wynt yn ôl erbyn hyn. 'Y Tarw ydi o, John!'

'Dwi'n gwbod hynny rŵan,' gwichiodd John. 'Tydi o'n eistedd arna i.'

Cododd Tecwyn ar ei draed gan glywed ochenaid uchel o ryddhad yn dod oddi tano.

'Roeddan ni'n meddwl mai un o'r sbeis 'ma oeddat ti,' meddai Bob yn ddiangen.

'Felly dwi'n dallt,' meddai Tecwyn. Poerodd. Roedd blas yr hen sach afiach honno'n llenwi ei geg o hyd.

'Be oeddat ti'n ei neud, beth bynnag?' gofynnodd John wrth ddefnyddio ochr y clawdd i'w lusgo'i hun ar ei draed.

'Be?'

'Be oeddat ti'n neud yn dringo dros y clawdd 'ma yn y lle cynta? Tŷ'r gweinidog ydi hwn, yndê?'

'O ...' Meddyliodd Tecwyn yn gyflym. 'Wel – yr un fath â chi, yndê, hogiau.'

'Y?' meddai Bob Eto'i Ddodwy.

'Ro'n i'n digwydd pasio pan glywais i rywun yn pesychu'r ochor arall i'r clawdd. 'Rargian, meddwn wrthyf fy hun, pwy fasa'n prowla o gwmpas gardd gefn y Parchedig Erasmus Williams yr adeg yma o'r nos?'

Edrychodd o un wyneb disgwylgar i'r llall. O'r diwedd, sylweddolodd Bob fod Tecwyn yn aros am ateb.

'Sbeis?' meddai.

'Wyddoch chi be, dyna'n union be aeth drwy fy meddwl

innau.' Cofiodd am eiriau ei fam yn gynharach. 'Wedi'r cwbwl, fedrwch chi ddim bod yn rhy ofalus y dyddiau yma – maen nhw ym mhobman!' Nodiodd y ddau frawd.

'Wel – ym mhobman ond yng ngardd y gweinidog,' meddai Tecwyn. 'Mi ddois i o fewn dim o neud ffŵl go iawn ohonof fy hun. Wyddoch chi pwy oedd yno drwy'r amser?'

Ysgydwodd y ddau frawd eu pennau.

'Neb llai na'r Parchedig Erasmus Williams ei hun, yn cerdded o gwmpas yr ardd ac yn mwynhau smôc cyn mynd i'w wely. Diolch i'r drefn, welodd o mohona i. Mi es i'r tu ôl i'r llwyni nes iddo fynd i mewn i'r tŷ a chau'r drws ar ei ôl cyn dringo'n ôl dros y clawdd. Ac wedyn ... wel, dach chi'n gwbod be ddigwyddodd wedyn, yn dydach?'

Dechreuodd y ddau frawd ysgwyd eu pennau eto cyn deall o'r diwedd. 'O, ia. Hy-hy!' meddai Bob.

Nodiodd y ddau frawd.

'Felly mi faswn i'n ddiolchgar tasach chi ddim yn deud gair wrth neb am hyn,' meddai Tecwyn.

'Mi fydd 'na beint yr un yn disgwyl amdanoch chi'r tro nesa y gwnewch chi alw i mewn i Dŷ'r Nant,' addawodd Tecwyn. 'Yn rhad ac am ddim – *on the house*. Iawn?'

Noswylio

Mi fues i'n lwcus ar y naw mai'r ddau yna a ddigwyddodd fy ngweld i heno, meddyliodd Tecwyn yn ei wely'r noson honno. Go brin y baswn i wedi gallu dod allan ohoni tasa Huws Plismon wedi digwydd dod heibio. Allwn i byth wynebu'r gweinidog wedyn, na Glesni ... na neb arall chwaith. A byddai'r stori fel tân gwyllt o gwmpas y lle.

O'r diwedd, llithrodd Tecwyn i mewn i gwsg aflonydd.

Filltir a hanner i ffwrdd, yn y Gelli, ysgrifennodd Alun y gerdd fechan hon yn ofalus ar dudalen gyntaf ei lyfr nodiadau newydd sbon:

> Anrhegion
>
> Er ei bod yn haeddu'r byd
> A'i aur a'i holl drysorau,
> I'r un a roes ei gwên i mi
> Cyflwynaf hyn o eiriau.
>
> Alun Gelli, Haf 1914

Darllenodd Alun hi eto. Cerdd fach syml, efallai, meddyliodd, ond mae hi'n dweud y cyfan, yn dydi? Dwi'n gobeithio y bydd Megan yn ei hoffi hi. Mi af draw i Allt Wen ddydd Sul nesaf, penderfynodd wrth ddringo i mewn i'w wely a diffodd ei gannwyll. Erbyn hynny mi fydda i wedi copïo rhai eraill i mewn i'r llyfr.

Mi fydd hi'n braf ei gweld hi'n gwenu.

Aeth yntau, o'r diwedd i gysgu.

Nos Sul, yr ail o Awst, 1914, oedd hi. Cysgodd Alun fel twrch drwy'r nos; cwsg go aflonydd a gafodd Tecwyn. Ond go brin fod yr un o'r ddau wedi breuddwydio y byddai'r byd, erbyn y dydd Mercher canlynol, wedi'i droi a'i ben i lawr.

Bore o Haf, 1914

Rwy'n deffro i glochdar ceiliog toriad gwawr
A chlwcian braf yr ieir o gylch y domen,
Daw trydar mân o ddail y ddernen fawr
A chân mwyalchen o ben ucha'r onnen.
Daw brefu'r ŵyn i'r clyw o Gae Llwyn Drain
A'r rhochian brwd o'r twlc tu ôl i'r sgubor;
Yr un hen grawcian blin gan dewu'r brain
A gwich y giât wrth iddi gael ei hagor.

Fel un mewn breuddwyd, crwydrais fferm a gardd,
Pob sain yn fwy deniadol fyth i'm clustiau,
Dotiais drachefn at wyrth y bore hardd,
A'r haul a'r gwlith yn dangos ôl fy nghamau.

Dyhëwn am fod yn iâr neu gi neu lo
Ac nid yn ddyn mewn byd a aeth o'i go'.

Alun Gelli

RHAN 3

Dau Filwr

Cymer dy wayw, a dos
Yn enw y marw a'r byw;
Nid dyn ond y dewr; bydd dithau yn ddyn
A chymer dy siawns gyda Duw.

'Dos', Eifion Wyn

Ffrainc

Frelinghien, Gogledd Ffrainc
Tachwedd–Rhagfyr 1914

Argol fawr, meddyliodd Alun, ma'r lle yma'n drewi!

Oedd Ffrainc i gyd yn drewi fel hyn? Go brin. A phan feddyliai am y peth, roedd drewdod o ryw fath neu'i gilydd wedi llenwi ei ffroenau ers iddo ganu'n iach i'r Gelli. Y trên i'r gwersyll yn Llandudno i ddechrau, yn llawn o ddynion ar eu ffordd i gael eu hyfforddi a phob un wan jac ohonyn nhw, teimlai Alun ar y pryd, yn smocio fel stemar. A gan ei bod yn ddiwrnod cynnes o haf bach Mihangel, roedden nhw i gyd hefyd yn chwysu fel moch.

Yn y barics, wedyn, rhagor o ddrewdod baco, cyrff chwyslyd, ac yn waeth na dim byd arall – chwys traed. Ac roedd hynny i gyd cyn i'r darpar filwyr ddechrau rhechu yn eu gwelyau bob nos a melltithio'i gilydd am wneud yr un pryd.

Erbyn iddyn nhw hwylio drosodd i Ffrainc, roedd y tywydd wedi hen droi. Cychwynnon nhw ar draws y Sianel dan awyr lwyd ac ar fôr llwydach; ymhen hanner awr, roedd yr awyr yn ddu a'r môr yn dduach. Mynd yn fwy ac yn fwy a wnaeth y tonnau gan wthio'r llong i fyny ac i lawr, ac Alun oedd un o'r rhai cyntaf i chwydu ei berfedd dros ei hochr. Chwythodd y gwynt chwd y milwr oedd yn plygu drosodd nesaf ato dros ei gôt, ei wyneb a'i wallt. Wrth gwrs, fe wnaeth arogl hwnnw iddo daflu i fyny eto ... a gan fod yr un peth yn digwydd i'r milwr wrth ei ochr, ac i'r milwr wrth ochr hwnnw, felly y buon nhw nes cyrraedd Ffrainc.

Martsio drwy'r glaw wedyn, drwy bentrefi gwag, tawel, a hynny gyda chit llawn a bwysai rhwng wyth deg a naw deg pwys ar eu cefnau, ac roedd eu cotiau trymion, *khaki*, llaes – y cotiau mawr – yn pwyso dros hanner can pwys arall pan oedden nhw'n wlyb socian fel hyn. O'r diwedd ... o'r diwedd fe gyrhaeddon nhw orsaf, ond ar y trên roedd rhagor o ddrewdod: dillad gwlyb, chwys a chwd, mwg baco Woodbine a Gold Flake. A ffenestri'r trên wedi stemio i gyd.

'Does 'na fawr o ddim i'w weld y tu allan, beth bynnag.'

Roedd Alun wedi gwthio drwy'r milwyr at un o'r ffenestri, gan obeithio y byddai edrych allan drwyddi o leiaf yn rhoi'r argraff fod yna rywfaint o awyr iach yn llifo i mewn i'r trên. Trodd. Islwyn Allt Wen, brawd hynaf Megan, oedd wedi siarad.

'Drycha!'

Sychodd Islwyn y stêm oddi ar y gwydr â'i lawes a gorffwysodd Alun ei dalcen ar oerni tamp y ffenest. Gwelodd fod Islwyn wedi dweud y gwir. Llwydni di-ben-draw uwchben, a thirwedd gwastad ac undonog mor bell ag y medrai Alun ei weld. Dim golwg o fynydd na hyd yn oed bryn.

'Buan iawn y basan ni'n drysu, Gelli, tasan ni'n gorfod byw mewn lle fel hyn, wyt ti ddim yn meddwl?' Safai'r ddau ochr yn ochr yn syllu allan.

'Mi fasan ni fel dau friwsionyn ar liain bwrdd anferth,' meddai Alun.

Chwarddodd Islwyn yn dawel. 'Basan, mae'n debyg.'

'Dydi Ffrainc i gyd ddim fel hyn, bosib?'

'Dwn i'm. Na, go brin ... wel, am wn i, yndê.' Trodd Islwyn ac edrych arno'n iawn. 'Be gythral ddaeth dros ein pennau ni, Gelli?' Crwydrodd ei lygaid dros y milwyr eraill. 'A'r lleill 'ma i gyd. Oeddan ni'n gall, dywed?'

'Dwi'n dechrau amau,' atebodd Alun.

'Be – dim ond rŵan wyt ti'n dechrau amau? Dwi wedi gneud hynny ers i mi gerdded adref o'r capel y bore Sul gwallgof hwnnw.'

Rhoddodd Islwyn wên fach sydyn ac am eiliad edrychai'r un ffunud â Megan. Bu'n rhaid i Alun droi i ffwrdd: ofnai fod y pwl o hiraeth a deimlai'n chwyddo'r tu mewn iddo wedi llenwi ei lygaid efo dagrau.

'Wyddost ti be?' aeth Islwyn yn ei flaen. 'Ro'n i o fewn dim i beidio mynd yno'r bore hwnnw, dyna'r peth mwya hurt amdano fo. Roeddan ni dros ein pen a'n clustiau mewn gwaith ar y ffarm acw. Ond mynnodd Mam. "Ma'n rhaid i un ohonoch chi fynd," meddai hi. "Pa un ohonoch chi ydi'r glanaf?" Wel, gan fod Dei ar ganol carthu'r beudy, fi oedd yr un wnaeth orfod dringo i mewn i'r siwt uffernol honno a mynd i lawr yr allt efo Megan a Mam – a Nhad a Dei yn gwenu fel giatiau wrth fy ngwylio i'n mynd yn barchus i gyd a'm llyfr emynau dan fy nghesail.'

Tawodd Islwyn am ychydig a rhythu allan drwy'r twll yn y stêm ar y ffenest, a gwyddai Alun yn iawn nad gweld caeau gwastad Ffrainc yr oedd o ond yr allt wledig a arweiniai i lawr o Allt Wen a'i gwrychoedd yn felyn â blodau'r eithin.

'Ma'n rhaid i un ohonoch chi fynd,' meddai eto, yn fwy wrtho'i hun nag wrth Alun. 'Efallai mai dyna be oedd gen i ar fy meddwl, fod yn rhaid i un ohonan ni ddŵad yma, er mai dim ond sôn am fynd i'r capel roedd Mam, wrth reswm. A gan mai fi ydi'r mab hynaf ...' Trodd oddi wrth y ffenest. 'Wel, gyda lwc, mi fydd o i gyd drosodd cyn i Dei gael cyfle i roi ei enw i lawr. Erbyn y Dolig, medden nhw. Ond dwi'n rhyw amau hynny, rywsut. Be amdanat ti, Gelli?'

'Dydi pethau ddim yn edrych yn rhy dda, yn nac 'dyn?'

Ysgydwodd Islwyn ei ben. Un tal, llydan oedd o, gyda'r un gwallt tywyll â'i chwaer, a mwstásh du'n tyfu i lawr heibio ochrau ei geg. Roedd o bedair blynedd yn hŷn nag Alun – yn dair ar hugain – a Dei, ei frawd, yn ugain ac yn fwy o stwcyn, â gwallt browngoch a brychni haul yn britho'i dalcen. Islwyn oedd yr un mwyaf tawedog a meddylgar o'r ddau frawd ac roedd Megan yn gyfuniad o'r ddau, gyda phryd tywyll Islwyn a natur chwareus, ddireidus Dei.

'Wyt ti'n gwbod rhywbeth am y lle 'ma?' gofynnodd i Alun. 'Y lle ... sut wyt ti'n ei ddeud o – "Ffreling-hîan"?'

'Argol, nac 'dw. Dim ond ei fod o ar y ffin efo Gwlad Belg, yndê.'

'Ydi o'n bwysig, felly?' holodd Islwyn.

''Sgen i ddim syniad.'

Chwarddodd Islwyn ei chwerthiniad byr unwaith eto. 'Fel y deudis i gynnau, Gelli – be gythral ddaeth dros ein pennau ni, dywed? Dwi'n deud wrthat ti, mi fydda i'n meddwl yn amal mai Tecwyn Tŷ'r Nant wnaeth y peth callaf. '

*

Roedd Alun ac Islwyn a phump o hogiau eraill yr ardal wedi ymrestru â'r fyddin yn ystod y gwasanaeth yn y capel un bore

Sul anghyffredin o boeth.

Doedd Tecwyn ddim yn un ohonyn nhw. I'r gwrthwyneb, cerdded allan o'r capel a wnaeth Tecwyn (dianc, ffoi, rhedeg i ffwrdd am ei fywyd yn ôl amryw) yn hytrach nag ymuno efo'r saith oedd wedi arwyddo llyfr recriwtio Erasmus Williams.

'Hwyrach fod hynny'n beth dewr i'w wneud ynddo'i hun,' mentrodd Alun un tro, wedi iddyn nhw setlo yn y gwersyll hyfforddi. Roedd rhan fechan ohono'n dal i fod eisiau amddiffyn ei ffrind bore oes. 'Cerdded allan fel yna yng ngŵydd pawb.'

Ond wfftio at hyn wnaeth yr hogiau eraill.

'Dewr, myn uffern i! Mae dyn dewr yn meddwl yn ofalus am yr hyn mae o am ei wneud, cyn ei neud o,' meddai Islwyn. 'Ei heglu hi oddi yno am ei fywyd wnaeth y Tarw. Rhedeg i ffwrdd.'

Nid am y tro cyntaf chwaith, meddyliodd Alun.

Ond yn go fuan ar ôl iddyn nhw gyrraedd Ffrainc, synnwyd pawb pan laniodd Tecwyn yn y gwersyll efo nhw. Wedi'i anfon i Bwllheli i hyfforddi roedd o, meddai, nid i Landudno efo'r lleill.

'Be wnaeth i chdi newid dy feddwl?' gofynnodd Islwyn iddo.

Roedd Tecwyn wedi rhythu arno'n herfeiddiol.

'Nid "newid fy meddwl" wnes i, Allt Wen. Do'n i ddim yn barod i ymrestru'r diwrnod hwnnw – reit? Roedd gen i bethau eraill roedd yn rhaid i mi eu gneud yn gynta. Do'n i ddim yn gallu "drop twls" a mynd i chwarae soldiwrs efo chi.'

'Oeddat ti'n ei goelio fo?' gofynnodd Islwyn i Alun wedyn, pan oedd Tecwyn yn ddigon pell oddi wrthyn nhw.

Cododd Alun ei ysgwyddau. 'Am wn i. Mae o yma rŵan, yn dydi?'

Yn ddistaw bach, roedd Alun yn rhannu amheuon Islwyn: fedrai o ddim anghofio'r ffordd yr oedd Tecwyn wedi rhedeg i ffwrdd o'r hen dŷ. *Plant oeddan ni*, meddai droeon wrtho'i hun, *dim ond plant ... a rhedeg i ffwrdd wnes innau hefyd, yndê?*

Ond fel y dywedodd wrth Islwyn, roedd Tecwyn yma hefo nhw'n awr, yn Ffosydd Frelinghien – yn cael ei wlychu a'i oeri gan yr un glaw ac at ei gluniau yn yr un mwd drewllyd.

Ffosydd Frelinghien ...

Ffos ydi ffos, meddai wrtho'i hun, ac mae'r ffosydd yma'n fwy ffoslyd na'r un ffos a welais i erioed.

Yn fwy afiach na'r ffos futraf un oedd gartref ar dir y Gelli hyd yn oed. Roedd ochrau'r ffosydd yma wedi'u gwneud o fŵd meddal a hwnnw'n drewi'n ofnadwy – fel hen gig oedd wedi cael ei adael allan yn yr haul yn rhy hir – ac yn llawn o lygod mawr, neu o falwod gwlith, tew.

A'r tu allan i'r ffos ... beth oedd yna?

Tir Neb, dyna beth oedd yna.

A'r ochr draw i hwnnw roedd ffosydd yr Almaenwyr. Gelyn anweledig, i Alun: doedd o ddim eto wedi taro llygad ar yr un ohonyn nhw yn agos. Meddyliai'n aml tybed sut bobl oedden nhw. Ers i'r rhyfel ddechrau, roedd y papurau newydd wedi portreadu'r Almaenwyr fel bwystfilod rheibus a ysai am gael lladd pob gwryw o Brydain a threisio pob dynes. Synnwn i ddim nad ydi eu papurau hwythau'n dweud rhywbeth tebyg amdanom ni, tybiai Alun. Tybed ydyn nhw, fel ni, yn holi'u hunain be gythral maen nhw'n neud yma? Ac yn hiraethu am eu mamau, eu neiniau, eu chwiorydd, eu gwragedd a'u cariadon?

Ond hyd yma, ysbrydion oedden nhw i bob pwrpas, ffigyrau amwys a phell mewn niwl neu'r tu ôl i len drwchus o law. Ond doedd dim byd ysbrydol am y bwledi a'r sieliau a ddôi o ffosydd yr Almaenwyr ddydd a nos, heblaw am sgrechfeydd y sieliau wrth iddyn nhw wibio drwy'r awyr. Ac roedd y sieliau hyn yn bethau uffernol, wedi'u cynllunio i ffrwydro yn yr awyr, tua ugain troedfedd uwchben y ffosydd. Y tu mewn iddyn nhw roedd rhagor o ffrwydradau a ddisgynnai fel cenllysg angheuol; roedd Alun wedi clywed sawl stori am filwyr oedd wedi cael eu claddu'n fyw – eu boddi mewn mwd – wrth i'r ffrwydradau hyn chwalu ochrau'r ffosydd.

Gelyn arall oedd y tywydd gwlyb. Droeon, bu Alun a chriw o'i gyd-filwyr yn brwydro i osod styllod pren ar y lloriau a cheisio trwsio rhywfaint ar ochrau eu rhan nhw o'r ffos – ond yn fuan iawn byddai'r glaw di-baid yn difetha'u hymdrechion pitw.

'Mae o fel trio gwagio Llyn Padarn efo llwy de,' cwynodd un o'r milwyr.

'Paid â siarad yn rhy uchel,' siarsiodd un arall ef, 'rhag ofn i un o'r swyddogion 'ma dy glywed di a meddwl, "Diawch, ia, dyna i ni syniad da, mi ro' i lwy de'r un iddyn nhw ac mi fyddan nhw wedi gwagio'r ffosydd yma mewn chwinciad!"'

Ni chwarddodd neb. *Slap-slap-slap*, meddai cefnau'r rhawiau yn erbyn ochrau'r ffos. *Plop-plop-plop*, meddai'r mwd wrth iddo lithro i lawr ac i mewn i'r dŵr. Ychydig wedi wyth o'r gloch y bore oedd hi, a'r milwyr wedi bwyta brecwast syml o facwn a the ac yn cael gorffwys am ryw hyd yn eu dug-out, gan wneud eu gorau i sychu rhywfaint ar eu traed. Roedd hyn

yn bwysig ofnadwy – yn enwedig a hwythau'n treulio oriau
maith un ai'n sefyll mewn dŵr sglyfaethus neu'n sgweltshian
trwyddo.

'Be ydan ni'n dda yma?' oedd cwyn yr hogiau yn aml.
'Dŵad yma i gwffio wnaethon ni, nid i drwsio a thyllu.'

*

Un bore, galwodd eu sarjant nhw at ei gilydd.

'Ma'r soldiwrs go iawn wedi hen fynd, hogiau – y rhan
fwya ohonyn nhw, beth bynnag,' meddai wrthynt.

'Lle aethon nhw?' gofynnodd rhywun. 'Syr?'

'Wedi gorffen maen nhw. Wedi darfod.'

'Be?'

'Wedi cael eu lladd, washi! Brwydr Ypres, dyna oedd eu
diwedd nhw. Dros hanner can mil o'r creaduriaid. Soldiwrs
proffesiynol – y regiwlars. Dyna pam mae rhyw bethau di-
ddim fel ni wedi cael ein hel yma.'

Teimlodd Alun bwniad ysgafn yn ei ochr.

'Ma'n rhaid i chdi sgwennu cerdd am hwn, Gelli,'
sibrydodd Islwyn Allt Wen. 'Mae o'n gofyn amdani.'

Gwenodd Alun. Tipyn o gymêr oedd y sarjant. Er
gwaetha'r glaw a'r mwd, llwyddai i edrych fel petai o newydd
gael tynnu ei lun fel hysbyseb i'r fyddin, gyda phob un blewyn
yn ei le a'i wisg filwrol fel pìn mewn papur. Ma'n siŵr gen i ei
fod o'n treulio oriau o flaen y drych yn wacsio'r mwstásh yna,
meddyliodd Alun, ac yn edmygu ei hun. Ac yn ôl yr olwg
ddirmygus ar eu hwynebau wrth iddyn nhw wrando arno'n eu
hannerch, doedd gan y recriwtiaid newydd eraill ddim llawer

o feddwl ohono, ychwaith.

Hogyn o'r dref oedd o bob tamaid, ac er gwaethaf ei 'hogiau' a'i 'washi', doedd o ddim yn un ohonyn nhw.

Aeth y sarjant yn ei flaen.

'Ylwch – faint ohonoch chi'n sy'n chwarae ffwtbol? Reit, meddyliwch am dîm eich pentre, efo bob un wan jac o'r chwaraewyr wedi torri eu coesau. Be sy'n digwydd wedyn? Yn hollol, maen nhw'n anfon y *reserves* ymlaen, hogiau dwy-droed-chwith gan amlaf, sy ddim hyd yn oed yn siŵr iawn i ba gyfeiriad maen nhw i fod i gicio'r bêl. Dyna i chi be sy gynnon ni yma. Dach chi'n dallt rŵan, hogiau?'

Edrychodd o un wyneb syn i'r llall.

'Be ydyn ni'n dda yma, meddech chi? Does wybod. Waeth i chi heb â gofyn i mi. Dim ond sarjant ydw i, dwi'n neb. Ond yma rydyn ni – maen Nhw wedi penderfynu hynny. Ac yma fyddwn ni nes byddan Nhw neu'r Bod Mawr ei hun yn ein cipio ni i ffwrdd i rywle arall.'

Tybed?

Tybed beth a welwn i, pe bawn
Yn digwydd croesi'r ffosydd un prynhawn?

Ac yna'n bendramwnwgl i lawr
Din dros ben, i geudwll mwdlyd mawr
A byseddu a theimlo gyda fy nhraed
Rywbeth oedd tan ddoe yn gig a gwaed.

A gweld, wrth sychu'r llaid a phoeri'r baw
Fod gelyn yno'n rhythu yn y glaw,
A'i syndod yn ei rwystro rhag mynd am un.
Ys gwn i sut greadur fyddai hwn?

Ai brenin braw a hunllef, un sydd â'i fryd
Ar droi pob nef yn uffern a threisio'r byd?

Neu ai un fel myfi, un swil a ffôl,
A roddai'r byd am gael bod adre'n ôl?

Alun Gelli

Bws i Nantfechan

Roedd Megan yn ysu am gael gadael y dref.

Dim ond oriau ynghynt, fodd bynnag, roedd hi'n falch o gael *mynd* i'r dref. Ond fel hyn rydw i'r dyddiau yma, meddyliodd: yn annifyr fy myd, dim ots lle ydw i.

Fi a phob dynes arall, mae'n debyg. Hyd yn oed os nad ydyn nhw'n fodlon cyfaddef hynny. Fel y dreipan wirion yma sydd newydd eistedd wrth f'ochor i a heb gau ei hen geg ddwl ers i'r bws gychwyn o'r dref.

Leusa Gruffudd oedd enw'r ddynes, hen ferch oedd tua'r un oed â mam Megan, ac os oedd ei hwyneb hi wedi goleuo pan ddringodd ar y bws a gweld Megan yn eistedd yno ar ei phen ei hun, yna roedd calon Megan wedi suddo i lawr i waelodion ei botasau. Yn ogystal â bod yn 'dreipan wirion', roedd Leusa Gruffudd wastad yn drewi o chwys – hyd yn oed ar ddiwrnod oer o aeaf fel heddiw. Roedd yr arogl anghynnes, sur wedi taro Megan yn ei hwyneb fel clwtyn budur wrth i Leusa sodro'i hun wrth ei hochr dan ochneidio'n uchel.

Eiliadau ar ôl i'r bws gychwyn roedd hi wedi dechrau paldaruo am y rhyfel, ac am yr holl bosteri recriwtio oedd wedi'u plastro dros bob man.

'Ma' gynnyn nhw rai Cymraeg i fyny rŵan, Megan, wnest ti sylwi?'

'Do,' atebodd Megan, gan feddwl: Mi fasa'n rhaid i rywun

fod yn ddall i *beidio* â sylwi. On'd oedd y pethau erchyll i'w gweld ble bynnag roedd rhywun yn troi? Roedd eu cael nhw yn Saesneg yn ddigon drwg. **COUNTY OF CAERNARVON. MEN ARE URGENTLY NEEDED FOR THE ROYAL WELSH FUSILIERS** bloeddiai un ohonyn nhw mewn llythrennau mawr, coch.

Ond roedd y rhai newydd, Cymraeg yn waeth.

'Neis eu cael nhw yn Gymraeg, dwyt ti ddim yn meddwl?' meddai Leusa.

Edrychodd Megan arni.

'Neis?'

Y posteri recriwtio hyn oedd un rheswm pam roedd Megan yn teimlo'n falch o adael y dref. Roedd hi wedi teimlo fel rhwygo pob un wan jac ohonyn nhw i lawr a gwneud coelcerth anferth efo nhw yng nghanol y sgwâr. Roedd y rhai Cymraeg yn chwarae ar deimladau'r hogiau, a'u galw nhw'n llwfrgwn, fwy neu lai, am beidio ag ymrestru yn y fyddin. **RHAID WRTH BOB DYN GWERTH EI GAEL** meddai un ohonyn nhw, **YMRESTRWCH HYD DDIWEDD Y RHYFEL.** Map o Gymru oedd ar un arall, a dros y map, eto mewn llythrennau mawr coch: **I'R FYDDIN FECHGYN GWALIA! Cas gŵr nid cas ganddo elyn ei wlad. CYMRU AM BYTH!**

'Ia,' meddai Leusa Gruffudd. Yna chwarddodd. 'Dwi wrth fy modd efo hwnnw sy'n dangos llun o'r soldiwr bach hwnnw'n martsio efo'i wn dros ei ysgwydd a'i getyn yn ei geg!'

Rhythodd Megan arni. Frenin mawr, oedd yr hulpan hurt yma'n gall?

'Wrth eich bodd, Leusa Gruffudd?' meddai Megan.

Llithrodd gwên Leusa fymryn. 'Wel, yndw. Mi wyddost ti pa un dwi'n ei feddwl – hwnnw sy'n deud "Dowch gyda mi, Fechgyn!"'

'A be tasa gynnoch *chi* fab?' meddai Megan wrthi. 'Mab a welodd y sglyfaeth poster hwnnw ac a ddeudodd wrtho'i hun, "Diawch, ia! Mi a'i efo fo hefyd. Mi a' i efo'r soldiwr yna sy'n rêl llanc yn ei ddillad caci a'i getyn rhwng ei ddannedd, mi a' i efo fo i Ffrainc!" A be tasa'r hogyn hwnnw byth yn dŵad yn ei ôl adra eto? Fasach chi wrth eich bodd efo'r poster yna wedyn, Leusa Gruffudd?'

Tro Leusa oedd hi i rythu'n awr. Nid hi oedd yr unig un i wneud hynny, chwaith. Roedd y sgwrsio ar y bws wedi tawelu'n llwyr a sawl pen wedi'i droi tuag at y fan lle'r eisteddai Leusa a Megan.

'Baswn,' meddai Leusa, ond roedd ei llais yn crynu wrth iddi siarad. 'Mi faswn i wrth fy modd – ac yn hynod falch o'r hogyn.'

Yna, edrychodd o gwmpas y bws a gweld bod ganddi gynulleidfa. Pan drodd yn ôl at Megan, roedd yna hen olwg slei yn ei llygaid.

'Ma'n siŵr fod dy fam di yn falch iawn o'i hogyn hi. Alla i ddim dychmygu bod ganddi gywilydd ohono fo – ac yntau'n ymladd dros ei wlad.'

Cochodd Megan, a rhoddai'r byd am gael poeri yn wyneb sbeitlyd y ddynes wrth ei hochr. Pa hawl oedd gan hon i sôn am Islwyn?

'Ac os ydach chi'n gofyn i mi,' meddai Leusa Gruffudd, 'dylai pob mam fod 'run fath â'r fam honno roedd y dyn ceiliog hwnnw'n sôn amdani. Dyna'r cwbwl s'gen i i'w ddeud am y peth.'

Distawrwydd. Ond gwelodd Megan fod pawb yn edrych ar ei gilydd mewn penbleth.

Ceiliog?

Mae'n rhaid i mi gael gwbod, meddyliodd Megan.

'Y ... pa ddyn ceiliog, Leusa Gruffudd?' gofynnodd.

'Tasat ti wedi trafferthu dŵad i'r capel y Sul dwytha, mi fasat ti wedi cael y fraint o glywed Mr Williams yn sôn amdano fo.'

Gwnaeth Leusa Gruffudd sioe fawr o ochneidio pan welodd hi'r dryswch ar wyneb Megan.

'Hwnnw sy wedi sgwennu rhyw farddoniaeth,' esboniodd Leusa yn ddiamynedd. 'Am fam sy'n hel ei mab i gwffio mewn rhyfel, er mwyn iddo fo fod yn ddewr fel ei dad.'

Trodd Megan a chymryd arni ei bod yn edrych allan drwy'r ffenest er mwyn cuddio'i gwên.

Nid 'ceiliog' roedd Leusa Gruffudd yn ei feddwl, wrth gwrs, ond Ceiriog – y bardd John Ceiriog Hughes. Mi fydd yn rhaid i mi sôn am hyn yn fy llythyr nesa at Alun, meddyliodd Megan.

Ond yna diflannodd gwên Megan wrth iddi sylweddoli beth roedd Leusa newydd ei ddweud.

Roedd rhai o'r papurau newydd lleol wedi bod yn dyfynnu un o gerddi Ceiriog er mwyn perswadio mwy o ddynion i ymuno â'r fyddin. Wrth gwrs, nid sgwennu am y rhyfel hwn yr oedd Ceiriog – roedd y creadur yn ei fedd ers 1887 – ond doedd hynny ddim wedi rhwystro'r taclau rhag defnyddio'i eiriau i chwarae ar deimladau pobol. Roedd mam Megan dan deimlad ofnadwy pan welodd hi'r penillion yn y papur, ac er mai dim ond unwaith y darllenodd Megan nhw, roedden nhw wedi aros yn ei chof fel adnodau ysgol Sul:

> Dy fam wyf fi, a gwell gan fam
> It golli'th waed fel dwfr,
> Neu agor drws i gorff y dewr,
> Na derbyn bachgen llwfr.
> ...
> Mil gwell yw marw'n fachgen dewr
> Na byw yn fachgen llwfr!

Trodd yn ei hôl at Leusa Gruffudd. 'Wnaeth o 'rioed ddyfynnu'r geiriau yna? Yn y capel – o'r pulpud?'

'Do, tad.' Gwgodd Leusa arni. 'Roedd o'n werth ei weld, a'i glywed. Mi aeth Mr Williams i dipyn o hwyl wrth ganmol ein hogiau dewr ni – ac yna'i deud hi'n ofnadwy am y rhai sy'n dal i guddio gartref.'

'Wyddoch chi be, Leusa? Mi fasa'n gan mil gwell gen i gael fy nharo'n fyddar na gorfod gwrando ar unrhyw wenwyn a ddaw allan o geg Erasmus Williams,' meddai Megan.

O – cabledd!

Clywodd sawl ebychiad yn dod o gyfeiriad y teithwyr eraill a rhythodd Leusa Gruffudd arni fel petai Megan wedi gollwng clamp o rech yn ei hwyneb. Ond yna clywodd Megan rywun yn curo dwylo.

'Ia, da iawn chi, Megan Ifas!' meddai un llais.

'Dydi'r dyn ddim yn ffit i'w alw'i hun yn weinidog yr efengyl,' meddai un arall.

Ac meddai trydydd llais: 'Ma'n ddigon hawdd iddo fo anfon ein meibion ni i gwffio, ac yntau'n dad i dair o genod.'

Erbyn hyn, roedd wyneb Leusa Gruffudd yn fflamgoch. Ddywedodd hi'r un gair o'i phen wedyn nes i'r bws gyrraedd Nantfechan, ond wrth ei halio'i hun allan o'i sedd gyda chryn duchan, trodd at Megan.

'Syffrajét!' hisiodd arni. 'Dyna be wyt ti – hen syffrajét goman!'

Llygod Ffrengig, Ffyrnig, Mawr

Frelinghien, Ffrainc
Rhagfyr 1914

Roedd y llygoden fawr bron cymaint â chath, a daeth allan o'r mwd fel anghenfil mewn hunllef.

Crynai ei thrwyn wrth iddi synhwyro'r aer. Edrychai'n siomedig, rywsut, yn amlwg wedi meddwl mai milwr marw oedd y ffigwr llonydd oedd yn hanner eistedd, hanner gorwedd yn erbyn y sachau tywod yn un gornel o'r ffos.

Nes i Alun droi ei ben yn araf tuag ati a'i gweld hi yno'n rhythu arno.

Roedd hon *yn* fawr, hefyd, yn glamp o lygoden; roedd o wedi gweld rhai mwy ers iddo gyrraedd yma i'r ffosydd, ond dim llawer oedd yn fwy na hon. Rhai duon a brown oedden nhw, gyda chynffonnau fel nadroedd a'r mwd ar eu ffwr yn bigog ac yn gwneud iddyn nhw edrych fel draenogod.

'Llygod mawr,' clywodd Alun ei lais ei hun yn dweud. 'Llygod Ffrengig. Llygod diarth. Llygod ffyrnig.'

'Yndê, hefyd?' meddai Gorwest. 'Dyna be maen nhw'n eu galw nhw i lawr yn y de, 'sti – llygod ffyrnig. Ac mae o'n enw sy'n gweddu iddyn nhw, wyt ti ddim yn meddwl? Yn enwedig os wyt ti'n digwydd cornelu un.'

'Ma'n gweddu i'r rhain sy gynnon ni yma, Gorwest, mae hynny'n sicr,' meddai Alun, gan lygadu'r llygoden. Syllodd honno'n ôl arno, a'i phen fymryn ar un ochr fel tasa hi'n gwrando arno ac yn trio'i ddallt.

'Ond pam llygod Ffrengig, sgwn i?' mwydrodd Gorwest. 'A llygod "diarth"? Ydan ni'r Cymry'n trio deud nad oedd gynnon ni'r ffasiwn bethau anghynnes yn ein gwlad fach ddel ni ar un adeg – nes i ryw ddiawliaid o dros y môr eu cludo nhw drosodd efo nhw?'

'Wel, mae "Ffrengig" yn hen air Cymraeg am unrhyw beth sy'n estron, yn ddiarth,' meddai Alun. 'Fel eithin uchel y cloddiau – eithin *Ffrengig* ydi'r enw arall amdano fo.'

Gwgodd Gorwest arno'n gas, a meddyliodd Alun ei fod am roi swadan iddo.

'Mi fasat ti'n gwbod rhywbeth fel 'na, yn basat, Mistar Gwbod Pob Dim. Rwyt ti'n ddigon i godi pwys ar rywun, weithiau,' meddai, a diflannu.

'Gorwest? Gorwest, lle wyt ti?' – ond wrth gwrs, doedd Gorwest ddim yno, nag oedd? Fuodd o ddim ar gyfyl y lle erioed. Roedd Gorwest gartref yn y Gelli – a beth bynnag, roedd o'n rhy hen i gael ei dderbyn i'r fyddin; roedd o'n hŷn na thad a mam Alun hyd yn oed. A doedd y Gorwest 'iawn' erioed wedi siarad efo fo fel yna – dim ond ysgwyd ei ben a chwerthin bob tro y byddai Alun yn 'mynd trwy'i bethau'.

Roedd Alun wedi pendwmpian eto fyth, ac wedi mwydro'n lân. Brwydrodd i gadw'i lygaid ar agor, ond roedden nhw'n mynnu cau eto. Eiliad cyn iddyn nhw gau yn gyfan gwbl, cafodd gip ar y llygoden fawr yn symud yn nes ato. Mi ddylwn i wneud rhywbeth ynglŷn â hon, meddyliodd, ond fedra i ddim: dwi wedi blino gormod, dwi wedi llwyr ymlâdd.

Roedd o wedi gweld digonedd o lygod mawr gartref ar y fferm, nythaid ar ôl nythaid ohonyn nhw yn y tŷ gwair a'r sgubor. Efallai mai cofio roedd o rŵan, ac nid dychmygu: cofio sgwrs debyg a gafodd un tro efo Gorwest yn y sgubor i gyfeiliant sŵn y glaw ar y to, a'i ffroenau'n llawn o arogl gwair yn hytrach nag o ddrewdod ffiaidd y mwd.

Neu efo'i dad, wrth gwrs, a rhoddodd naid fechan yn ei hanner cwsg wrth i Gwilym Roberts ddweud, 'Wel, debyg iawn fod y taclau'n fawr gynnoch chi yma! Tydach chi, filwyr, yn mynnu lluchio'ch tuniau bwyd hanner gwag allan dros y top? Dim rhyfedd fod y lle yma'n berwi efo llygod mawr.'

Dydi Nhad ddim yma chwaith, meddai Alun wrtho'i hun. Ond mi rown i'r byd i gyd yn grwn am ei weld o eto. Teimlodd y dagrau'n rhuthro i'w lygaid.

'Mi fasach chithau'n eu lluchio nhw allan hefyd, Nhad, tasach chi'n gorfod bwyta'r ffasiwn rwtsh.'

'Ac rwyt ti'n gwbod be arall maen nhw'n ei fwyta, yn dwyt?' meddai Gwilym Roberts. 'Be arall ma'r llygod uffernol yma'n ei fwyta?'

Swniai ei lais yn agos, agos, a bron y medrai Alun daeru iddo deimlo anadl ei dad yn cosi'r tu mewn i'w glust. Agorodd ei lygaid eto, ond wrth gwrs doedd ei dad ddim yno. Dim ond y llygoden fawr, Ffrengig, ddiarth, ffyrnig – fodfedd neu ddwy arall yn nes ato.

Llwyddodd Alun i godi mymryn ar ei droed a bygwth ei chicio, ond arhosodd y llygoden lle roedd hi. Maen nhw'n mynd yn fwy a mwy powld bob dydd, meddyliodd. Mae hon, er enghraifft, yn aros yma yn y gobaith y bydda i'n marw'n go fuan.

Ac wedyn ...

'Ydw, Nhad,' sibrydodd, 'dwi'n gwbod yn iawn be arall maen nhw'n ei fwyta.'

Cyrff marw, dyna beth. Y cyrff a orweddai'n pydru yn y mwd yn Nhir Neb – y darn o dir rhwng ffosydd y Prydeinwyr a ffosydd yr Almaenwyr. Anialwch o byllau yn llawn dŵr, lle roedd sieliau mawr wedi ffrwydro i mewn i'r ddaear. Coed wedi'u llosgi'n sgerbydau duon. Gwifrau pigog ym mhobman, yn ymwthio o'r mwd fel llwyni o ddrain dur. Hen duniau bwyd – ac roedd sŵn y llygod yn sgrialu drwy'r rhain yn y tywyllwch yn ddigon i gadw dyn yn effro drwy'r nos.

A chyrff milwyr marw.

Dim rhyfedd fod y llygod yn ffynnu yma. Un noson dywyll, pan ffrwydrodd un o'r sieliau yn yr awyr gan daflu goleuni gwyn, llachar dros Dir Neb, cafodd Alun gip sydyn ar wyneb y ddaear. Meddyliodd ar y dechrau fod y tir yn codi ac yn disgyn fel wyneb aflonydd y môr, nes iddo sylweddoli bod y darn cyfan o dir yn un carped anferth o lygod mawr.

Roedd Alun wedi clywed rhai o'r milwyr Seisnig yn cyfeirio atyn nhw fel 'corpse rats'. Mynd am y llygaid roedden nhw'n gyntaf ...

Dechreuodd bendwmpian eto, a gwên fechan ar ei wyneb wrth gofio am sŵn y glaw'n byrlymu ar do'r tŷ gwair ...

... ond neidiodd a rhoi bloedd, wedi meddwl yn siŵr fod y llygoden wedi'i gyrraedd ac yn dringo i fyny ei gorff tuag at ei wyneb. At ei *lygaid*. Ond na, roedd hi'n dal i fod lle roedd hi, ac wedi symud ychydig yn ôl, os rhywbeth; rhaid fod bloedd a naid annisgwyl Alun wedi dychryn rhywfaint arni.

Yna clywodd floedd arall, un uchel ac yn llawn casineb, wrth i gysgod mawr ruo heibio iddo. Milwr arall, yn sgweltshian drwy'r mwd a'r dŵr ar lawr y ffos a'r bidog ar flaen ei reiffl yn pwyntio'n syth at y llygoden fawr. Ceisiodd honno droi a dianc, ond yn rhy hwyr: rhoddodd un wich uchel wrth i fidog y milwr ei thrywanu a llosgi trwyddi fel procer chwilboeth. Allan â'r fidog, yn sgleinio'n goch o'i blaen i'w bôn. Cododd y milwr ei reiffl â'r llygoden farw'n hongian yn llipa oddi ar y bidog. Yna, taflodd y corff allan o'r ffos, dros y top ac i Dir Neb, yn union fel ffermwr yn fforchio gwair i fyny ar drol.

Trodd ac edrych ar Alun. Roedd golwg wyllt, bell yn llygaid y milwr ac roedd ei wyneb yn sgleinio â chwys oer.

'Go damia nhw!' meddai. 'Mae'n gas gen i'r blydi pethau. Ti'n fy nghlywed i? Ma'n gas gen i nhw!'

Nodiodd Alun yn bwyllog.

'Wn i, Tecs.'

Edrychodd Tecwyn Tŷ'r Nant arno eto. Roedd clywed ei enw'n cael ei ddweud mewn llais roedd o'n ei adnabod wedi dod â fo ato'i hun, oherwydd ciliodd yr olwg wyllt o'i lygaid.

'O. Chdi sy 'na.' Sychodd ei dalcen â chefn ei law, a'i wyneb â llawes ei diwnig.

'Faint wyt ti wedi'u lladd heddiw, Tecs?' gofynnodd Alun.

Poerodd Tecwyn. 'Honna oedd yr wythfed. Go damia nhw,' meddai eto. Plygodd i olchi'r gwaed oddi ar ei fidog yn y dŵr budur ar lawr y ffos, cyn ei sychu'n ofalus gyda chlwt o'i boced. 'Dwi 'rioed wedi'u licio nhw, 'sti, Gelli. 'Rioed. Maen nhw'n mynd reit drwydda i.'

'Felly roeddat ti'n deud,' meddai Alun.

Gwyddai hynny eisoes. Cofiodd fel y bu iddo fo a Tecwyn ddod ar draws nythaid o lygod mawr yn y sgubor pan oedden nhw'n blant; roedd Tecwyn wedi troi'n wyn fel y galchen ac roedd hi wedi cymryd wythnosau iddo fentro'n ôl i mewn i'r sgubor efo Alun.

Roedd rhai o'r milwyr yn gwneud ati i hela'r llygod, gan drin yr holl beth fel gêm neu ornest fawr. Roedd nifer ohonyn nhw'n hongian eu llygod marw gerfydd eu cynffonnau oddi ar linyn neu gortyn hir nes eu bod nhw'n edrych o bell fel rhesi o sanau gwlân gwlyb yn sychu ar leiniau dillad.

Nid felly Tecwyn Tŷ'r Nant: nid gêm oedd hi iddo fo, ac roedd Alun yn poeni amdano erbyn hyn. Pan gyrhaeddodd o yma gyntaf, dair wythnos ar ôl Alun, arferai Tecwyn gilio oddi wrth y llygod â rhywbeth tebyg iawn i ofn ar ei wyneb, ond bellach roedd o fwy neu lai'n chwilio amdanyn nhw. A dôi'r hen olwg ryfedd honno i'w lygaid wrth iddo wthio'i fidog i mewn ac allan, i mewn ac allan o gorff pob llygoden a laddai, dro ar ôl tro.

Fel dyn o'i gof, meddyliodd Alun wrth wylio cefn Tecwyn yn cerdded oddi wrtho ar hyd y ffos.

'Be sy wedi digwydd i chdi'r hen ddyn?' murmurodd yn dawel. 'Be ma'r lle uffernol yma wedi'i neud i chdi?'

Edrychodd i fyny a gweld bod yr awyr yn dechrau tywyllu – y llwyd yn troi'n ddu. Cyn bo hir, gwyddai y byddai'r gynnau mawrion yn rhuo eto, a'r sieliau'n sgrechian fel gwrachod gwallgof wrth ruthro drwy'r awyr.

Teimlodd ddigalondid ofnadwy'n golchi drosto fel ton o ddŵr budur. O'r argol, meddyliodd, be ydw i'n ei neud yma? Be mae pawb ohonon ni'n ei neud yma?

Mi ddaethon ni yma heb unrhyw syniad yn y byd beth oedd yn aros amdanon ni. Doedden ni ddim yn gwybod be i'w ddisgwyl – ond yn sicr doedd yr un ohonon ni wedi disgwyl hyn.

Ga' i fynd adra? Dduw mawr, ga' i fynd adra?

Dechreuodd fwrw glaw eto.

Tadau

Gartref
Rhagfyr 1914

'Lle wyt ti, 'ngwas i? Lle uffarn wyt ti?'

Chwythai'r gwynt yn oer dros Gae Pen-rhos, ond yma roedden nhw eto brynhawn heddiw, y tadau, fel ar bob prynhawn Sadwrn arall ers i'w meibion fynd i ffwrdd. Yma ac acw hyd ochrau'r cae, yn sefyll yn ddigon pell oddi wrth ei gilydd, wedi'u lapio mewn cotiau trwchus a'u dwylo'n ddwfn yn eu pocedi, eu capiau a'u hetiau wedi'u tynnu i lawr yn dynn dros eu clustiau.

I gyd yn sefyll ag ysgwyddau crwn, yn syllu'n ddall ar y gwynt yn cribo'r glaswellt ac yn union fel tasen nhw'n gwylio gêm yn cael ei chwarae.

Doedden nhw byth yn cydnabod ei gilydd, y tadau hyn. Ffigyrau unig oedden nhw, yn dod yma er mwyn ymgolli yn eu meddyliau a'u hatgofion, a hiraethu.

Doedd fawr ddim yma bellach i awgrymu mai cae pêl-droed oedd hwn. Aethpwyd â'r pyst oddi yno yn fuan ar ôl i'r rhyfel ddechrau – dywedwyd bod eu hangen ar gyfer yr 'ymdrech ryfel' – ac edrychai'r cae'n rhyfedd o noeth hebddyn nhw. Teimlai distawrwydd naturiol y lle'n annaturiol erbyn hyn. Swniai crawc pob brân yn uwch o lawer, fel cyfarthiad ci gwyliadwrus yn rhybuddio'r tadau i gadw draw, ac roedd rhyw dinc digalon i chwiban unig y gwynt wrth iddo ochneidio tuag atyn nhw dros y rhos.

Bron fel petai yna ysbrydion yn crwydro'r cae.

Ond yma y byddai'r tadau'n dod bob prynhawn Sadwrn – dod yma i feddwl, i gofio, ac i weddïo: pob un mewn cymundeb tawel â'u meibion pell. Yn sibrwd y geiriau gan amlaf, ac ambell waith, pan fyddai'r hiraeth yn drech na nhw, yn eu gweiddi yn y gobaith y byddai'r gwynt yn eu cipio ac yna'n dychwelyd gydag ateb o ryw fath.

'Lle wyt ti, 'ngwas i? Lle uffarn wyt ti?'

Arhosai pawb am ryw awr fach cyn edrych o'u cwmpas yn hurt, troi a cherdded tuag adref, eu dwylo yn eu pocedi o hyd, eu pennau i lawr a'u llygaid yn llaith.

Tan yr wythnos nesaf.

Ac os na fyddai un ohonyn nhw yno'r Sadwrn hwnnw, gwyddai'r lleill fod ei holl weddïo wedi bod yn ofer, ac na fyddai ei hogyn yn dod adra i garlamu unwaith eto ar Gae Pen-rhos.

*

Un o'r tadau hyn oedd Richard Tomos, Tŷ'r Nant. Dim ond unwaith y bu Richard yma cyn y rhyfel; doedd ganddo fawr o ddiddordeb mewn pêl-droed, ar wahân i'r ffaith fod cryn syched ar y chwaraewyr a'r gwylwyr ar ôl pob gêm.

'Dylet ti bicio i fyny yno i'w weld o'n chwarae ambell waith,' meddai Jini wrtho droeon pan ddechreuodd Tecwyn chwarae i dîm Nantfechan.

'Argol, 'sgen i ddim amser i ryw bethau felly, siŵr,' oedd ateb Richard bob tro.

'Mi fasa'n golygu llawer i'r hogyn, Richard – gwybod bod

ei dad yno'n ei wylio fo'n chwarae dros ei bentre.'

'Ia, ôl-reit, mi a' i un o'r dyddiau Sadwrn 'ma,' atebai Richard, gan wybod yn iawn nad oedd ganddo unrhyw fwriad o fynd ar gyfyl Cae Pen-rhos. Doedd dyn prysur fel fo byth yn debygol o gael y cyfle i sefyllian am ddwy awr yn gwylio dynion eraill yn chwarae plant.

'Diogi yw mam tlodi, Jini,' meddai pan ddechreuodd o flino ar swnian ei wraig. 'Mi fasa'n gneud byd o les i'r hogyn acw gofio hynny, yn lle treulio'r diwrnod prysura'r wythnos yn cicio pêl. Gloddest awr a newyn blwyddyn, cofia,' ychwanegodd, gyda'r teimlad annifyr nad oedd y ddihareb olaf hon yn taro deuddeg, rywsut.

Neidiai Jini yn ddi-ffael i amddiffyn Tecwyn. 'Ma'n iawn i'r hogyn gael chydig o amser iddo fo'i hun. Dyn a ŵyr, rwyt ti'n ei weithio fo'n ddigon caled drwy'r wythnos. Ma'n well o lawer iddo fo gael bod allan yn yr awyr iach yn hytrach nag yn yr hen dafarn fyglyd yma.'

'Hmmm,' oedd unig ymateb Richard Tomos i hyn. Ond gwyddai yn y bôn fod Jini'n iawn; lle go afiach oedd y dafarn gyda'r holl fwg baco wastad yno'n gwmwl rhwng y nenfwd a'r llawr, a byddai cael rhywfaint o awyr iach y Bod Mawr yn ei ysgyfaint yn gwneud byd o les i Tecwyn.

Ond cyn bo hir dechreuodd Richard glywed sibrydion am Tecwyn – a doedden nhw ddim yn sibrydion hyfryd iawn chwaith. Am rywun oedd yn cael ei adnabod fel 'Tarw'r Nant'.

Doedd dim dwy waith amdani, *roedd* Tecwyn yn gallu edrych fel tarw ar brydiau. Ond roedd y Tarw yn un am chwarae'n fudur, meddai'r sibrydion, ac yn creu drwgdeimlad ymhlith y timau lleol. Yn fuan iawn, meddai'r sibrydion, ni fyddai neb yn fodlon chwarae yn erbyn Nantfechan, os na fyddai rhywbeth yn cael ei wneud ynglŷn â'r Tarw.

'Nonsens!' oedd barn Jini am y sibrydion hyn, gan egluro wrth y cwsmeriaid na fyddai croeso yn Nhŷ'r Nant i unrhyw un a fentrai sibrwd y fath gelwyddau cas am ei hogyn bach hi.

'Gwyn y gwêl y frân ei chyw,' meddai Richard – yn ddistaw bach ac wrtho'i hun.

Un prynhawn Sadwrn gwlyb, fodd bynnag, pan oedd Nantfechan yn chwarae gartref ar Gae Pen-rhos, roedd o wedi sleifio yno mewn côt laes a het wedi'i thynnu i lawr dros ei wyneb er mwyn cael gweld y Tarw drosto'i hun.

Arhosodd o ddim yn hir, a dychwelodd i'r dafarn yn go isel ei ysbryd. Roedd y sibrydion, wrth gwrs, yn wir bob un, a phrin roedd Richard Tomos wedi adnabod ei fab ei hun yn y bwli a deyrnasai dros y cae, y bwli a edrychai fel pe bai'n mwynhau achosi poen i unrhyw chwaraewr o'r tîm arall a fentrai'n agos ato.

Ond erbyn hynny roedd sibrydion tywyllach o lawer i'w clywed drwy wledydd Prydain – sibrydion am ryfel.

Ac roedd y rheini hefyd yn wir.

'O, Tecwyn!' meddai'n uchel wrth y cae. 'Be gythral oedd ar dy ben di, hogyn?'

Gwyddai y dylai fod yn falch o'i fab. Felly roedd o i *fod* i deimlo, medden nhw. Roedd ei galon i fod i chwyddo nes iddo deimlo fel petai hi ar fin ffrwydro allan ohono, bob tro y meddyliai am ei fab draw yn Ffrainc – 'one of the Empire's bravest sons', yn ôl tudalen flaen *Y Genedl Gymreig*, o bopeth.

Ond ...

'Tecwyn,' meddai, a'i lais yn crynu. Ond doedd dim ots,

dim affliw o ots, doedd neb wedi dod yma i wrando arno fo, a phrun bynnag llais crynedig oedd gan bob un o'r tadau oedd yn dod yma i Gae Pen-rhos. 'Tecwyn, tasat ti yma rŵan, mi faswn i'n cicio dy ben-ôl hurt di o un pen o'r cae yma i'r llall, ac yn ôl wedyn, baswn wir, waeth pa mor fawr wyt ti. Pam na ddoist ti ataf fi? Pan na wnest ti siarad efo fi – dy dad? Ro'n i wastad wedi meddwl ein bod ni'n fwy o ffrindiau na hynny.'

Ond oedden nhw, wir? meddyliodd Richard. Faint roedd o a Tecwyn wedi siarad efo'i gilydd dros y blynyddoedd? Dim llawer, o sbio'n ôl rŵan – dim digon, yn sicr. Yn enwedig dros y blynyddoedd diwethaf. Ac erbyn hynny, roedd hi'n rhy hwyr. Roedd Tecwyn wedi mynd yn fwy a mwy surbwch tra oedd Richard a Jini'n rhy brysur yn bod yn 'ddau gymêr'.

Wel, roedd y dyddiau hwyliog wedi dirwyn i ben erbyn hyn, yn doedden nhw? Chawson nhw fawr ddim rhybudd – fo na Jini. Os rhywbeth, roedd Tecwyn wedi osgoi trafod y rhyfel. Roedd o'n troi'n gas bob tro y byddai rhywun yn crybwyll y peth, fel petai'n well ganddo fo smalio nad oedd yna ryfel o gwbl. Arferai golli ei liw, a chwysu, cofiai Richard, bron fel ...

Bron fel tasa *ofn* arno fo.

Oedd yr hen ddywediad yn wir, tybed – hwnnw sydd yn dweud mai llwfrgi ydi pob bwli, yn y bôn?

Roedd yr hen feddyliau annifyr yma wedi tyfu fwyfwy ym meddwl Richard ar ôl un bore Sul yn y capel, pan godod nifer o hogiau'r pentref i arwyddo'r llyfr ymrestru felltith hwnnw oedd gan Erasmus Williams yn ei ddwylo meddal.

Ond nid felly Tecwyn. Roedd o wedi aros yn ei sedd, yn rhythu ar flaenau ei esgidiau, ei wyneb yn wyn ac yn sgleinio o chwys, cyn codi'n sydyn a throi, nid i gyfeiriad y sêt fawr ond am y drws, y porth, a'r awyr agored. Lle'r aeth o wedyn, dyn a ŵyr, meddyliodd Richard ...

'... a *fi*,' meddai wrth y cae. 'Dylwn i fod wedi codi a mynd allan ar dy ôl di, a'th ddilyn gan adael i ti gerdded a cherdded nes bod yn rhaid i ti orffwys, cyn mynd atat ti ymhen hir a hwyr ac eistedd wrth dy ochr a rhannu Woodbine neu ddwy efo chdi – tad a mab yn rhannu smôc.

'Dylwn i fod wedi dangos fy mod i yno i ti, dim ots be.'

Dair wythnos yn ddiweddarach, cyhoeddodd Tecwyn ei fod yntau hefyd wedi ymrestru, a dechreuodd Richard Tomos ddod i sefyll ar ochr Cae Pen-rhos ar brynhawn Sadwrn, yn gweddïo efo'r tadau eraill na fyddai ei weddïo'n ofer.

'Lle wyt ti, 'ngwas i? Lle uffarn wyt ti?'

*

A beth am Gwilym Roberts? O, oedd, roedd yntau'n dod yma hefyd, gan ddweud wrtho'i hun mai'r gwynt miniog a ddôi â'r dagrau i'w lygaid.

Trwsio clawdd sych yr oedd o y bore Sul hwnnw, ac Alun – yn dal yn ei ddillad capel – yn dod tuag ato drwy'r caeau â'i gerddediad yn araf.

'Be sy?'

Eisteddodd y ddau ochr yn ochr, a'u cefnau yn erbyn bôn y clawdd. Cofiai Gwilym mor esgyrnog y teimlai ysgwydd Alun yn erbyn ei fraich ef, a'r brychni haul a frithai ei dalcen a'i drwyn yn gwneud iddo edrych mor ifanc, mor ddirdynnol o ifanc.

Yn rhy ifanc o lawer i fod yn filwr, i saethu ac i ladd ac i gael ei ladd.

'Be oedd gan dy fam i'w ddeud?'

Caeodd Alun ei lygaid. 'Dwi 'rioed wedi'i gweld hi'n crio fel hyn o'r blaen, hyd yn oed pan fu Nain farw.'

'Wel, damia chdi, hogyn, be ddiawl arall oeddat ti'n ei ddisgwl?'

Roedd Gwilym wedi codi ar ei draed ac ailafael yn y gwaith o drwsio'r clawdd. Ymhen ychydig, safodd Alun a thynnu ei siaced a thorchi llewys ei grys. Yno y buon nhw nes roedd y gwaith wedi'i orffen, yr haul yn taro'n boeth ac yn llosgi'u gwarrau, a Gwilym yn ymwybodol drwy'r amser o'r edrychiadau ofnus a daflai Alun tuag ato bob hyn a hyn. Yn amlwg yn disgwyl iddo wylltio a tharanu, neu gydio ynddo gerfydd ei glust a'i lusgo bob cam i lawr i Nantfechan a mynnu bod y brych o weinidog hwnnw'n dileu ei enw o'r llyfr felltith yna.

'Mi fydd o'n iawn, 'rhen hogan,' sibrydodd wrth Mair yn eu gwely'r noson honno wrth i'w dagrau wneud iddi grynu yn ei freichiau. 'Gei di weld. Mi fydd o'n tshiampion, ac yn ei ôl adra cyn i ni droi rownd.'

Drwy ffenest agored yr ystafell wely daeth sgrech uchel llwynoges, cofiai, fel petai'r anifail yn ei watwar.

Ond mae Alun yn iawn, meddai wrtho'i hun – hyd yn hyn, beth bynnag. Dydi o ddim yn cael manylu llawer yn ei lythyrau, ond mae eu tôn yn ddigon hwyliog. Ac mae o'n dal i farddoni.

A sôn am hynny, meddyliodd Gwilym gyda gwên fach sydyn, y cythral bach ... faint o weithiau, dros y blynyddoedd, ydw i wedi'i siarsio fo rhag mynd ar gyfyl yr hen dŷ hwnnw yn y goedwig? Mae'n amlwg o ddarllen un o'i gerddi ei fod o'n gyfarwydd iawn efo'r lle. Mi enillodd o efo hi yn steddfod y capel, ac roedd Mair mor falch ohono fo am hynny, doedd gen i mo'r galon i ddifetha pethau drwy gega arno fo am fod yn anufudd.

Diflannodd gwên Gwilym wrth iddo feddwl am y capel – oherwydd amhosib oedd meddwl am y capel heb feddwl hefyd am Erasmus Williams. Roedd o wedi cadw draw o Nantfechan fyth ers i Alun adael am Ffrainc; a phetai o'n gweld y gweinidog yn sgwario o gwmpas y lle yn ei bali iwnifform, ofnai y byddai'n rhuthro amdano a'i ysgwyd gerfydd ei wddf twrci-tenau nes bod ei ddannedd o'n torri'n deilchion yn ei geg. Yn sicr, fyddai o na Mair yn mynd ar gyfyl y capel tra oedd y sgerbwd hwnnw'n weinidog yno. Ym marn Gwilym, byddai hynny bron mor anfaddeuol â'r ffordd yr oedd Erasmus yn bwlio – ia, dyna'r unig air am yr hyn a wnâi – yr holl fechgyn ifainc i fentro'u bywydau draw yn Ffrainc.

Roedd y capel wastad wedi golygu cymaint i Mair, ac roedd Erasmus Williams wedi difetha hynny'n llwyr. Nid Mair oedd yr unig un a deimlai felly, chwaith, yn ôl yr hyn a glywai Gwilym oddi wrth Gorwest a nifer o ffermwyr eraill y cylch. Dyma'r union adeg pan oedd angen cysur ysbrydol ar bobol, ond yn lle hynny roedd Erasmus a'i fath – oherwydd nid y fo oedd yr unig weinidog i ymddwyn fel hyn o bell ffordd – yn gorfodi pobol i gefnu ar sefydliad a ddylai fod yn noddfa iddyn nhw.

Dwi'n siŵr, meddyliodd Gwilym, tasa'r lembo'n meiddio dangos ei wyneb yma ar Gae Pen-rhos, y byddai'r hogiau yma'n troi arno fo a'i grogi oddi ar byst y gôl – tasa 'na gôl yma, wrth gwrs.

Crynodd Gwilym. Amser mynd adra: roedd cant a mil o bethau'n aros amdano yn y Gelli. Trodd a chychwyn oddi yno, yn ymwybodol o'r llygaid eraill a syllai arno cyn troi unwaith eto at wacter y cae.

'Lle wyt ti, 'ngwas bach i?' meddai'n dawel. 'Lle uffarn wyt ti?'

Corws y Wawr

Frelinghien, Ffrainc
Rhagfyr 1914

'Stand-to! Stand-to!'

Pump o'r gloch y bore. Neidiodd Tecwyn o gwsg ysgafn gan feddwl yn siŵr fod y sarjant wedi bloeddio yn ei glust, ond na, gweiddi wrth gerdded – neu'n hytrach, wrth sgweltshian – ar hyd y ffos roedd o.

'Stand-to' – 'sefwch wrth eich arfau', mewn geiriau eraill, neu 'stand-to-arms'. Gorchymyn i fod yn wyliadwrus, rhag ofn y byddai'r gelyn yn ymosod.

Ond roedd yna wastad berygl y byddai'r gelyn yn ymosod. Roedd eu bwledi'n gwibio dros y ffos fel cacwn milain, a'r gynnau mawr yn pesychu, yn bytheirio, yn clirio'u gyddfau ac yn poeri eu sieliau tuag atyn nhw byth a beunydd

Ymdrechodd Tecwyn i godi ar ei draed a mynd i'w gwman yn syth, heb feddwl am y peth erbyn hyn. Roedd y milwyr a'r swyddogion eraill wastad yn gweiddi arno am ei fod o mor fawr; roedd ei gorun – os nad ei ben cyfan – mewn perygl o fod yn darged i sneipiwr Almaenig.

'Go brin y basa'r helmed 'na sy gen ti'n fawr o help,' meddai un o'r swyddogion wrtho. 'Mi fasa'r fwled yn saethu ei hanner hi i mewn i dy ben hurt di, ac allan wedyn yr ochor arall. Wyt ti isio i hynny ddigwydd?'

Nag oedd, diolch yn fawr, a buan iawn y dysgodd Tarw Nantfechan fyw a bod yn ei gwman – heb sylweddoli ei fod o, a'i ben i lawr a'i ysgwyddau i fyny fel hyn, yn edrych yn debycach nag erioed i darw oedd yn paratoi i ruthro am ryw greadur neu'i gilydd. Deallodd fod nifer o filwyr yn cael eu lladd ar eu diwrnodau cyntaf yn y ffosydd, oherwydd iddyn nhw anghofio gofalu bod eu pennau'n is na'r parapet, neu fethu ymwrthod â'r demtasiwn i gymryd sbec sydyn dros y parapet er mwyn cael cip ar Dir Neb.

Roedd y sneipwyr wastad yno, wastad yn gwylio, wastad yn barod, a phur anaml y bydden nhw'n methu.

Roedd y sarjant yn aros yn ddiamynedd am Tecwyn wrth stepen saethu wag, sef bwlch yn ochr y ffos a gris pren ynddo. Gwaith Tecwyn oedd sefyll ar y gris a'i reiffl uwchben y parapet, yn barod i saethu.

Fel sneipiwr.

'Yma. Tyrd – deffra.' Er gwaetha'r cyfarthiad yn ei lais, gwenodd y sarjant arno a sylweddolodd Tecwyn fod hwn hefyd wedi blino llawn cymaint â phawb arall. Mwy, os rhywbeth. 'Wyt ti efo ni, was?'

Nodiodd Tecwyn. 'Yd... ydw, syr. Sarj.'

'Dal dy wyneb i fyny tua'r glaw.'

Mae hi'n bwrw eto fyth, sylweddolodd Tecwyn. Neu'n dal i fwrw ers ddoe ... ers echdoe ... yr wythnos dwytha. Ers i ni gyrraedd y lle felltith 'ma.

'Gwell?' gofynnodd y sarjant.

'Ydw, syr.'

'Reit. I fyny â chdi 'ta. Tria beidio gwrando arnyn nhw, iawn? Does 'na affliw o ddim byd fedrwn ni ei neud i'r creaduriaid bach.'

I ffwrdd â fo, ar hyd y ffos. 'Stand-to ... stand-to ... Man the fire-step, stand-to ...'

Dringodd Tecwyn i fyny ar y gris, yn ei gwman eto. Teimlai'r pren yn llithrig dan ei draed nes iddo'i sadio'i hun drwy bwyso yn ei flaen a'i ddwy benelin yn gorffwys ar y parapet, a blaen ei reiffl yn pwyntio i'r tywyllwch. Cyn bo hir, unwaith y byddai'r dydd yn dechrau goleuo, câi saethu ei reiffl. At beth, Duw a ŵyr – dim ond saethu allan i'r glaw, allan i'r niwl.

A byddai'r Almaenwyr yn saethu'n ôl.

Digwyddai hyn bob bore. Roedd o wedi clywed rhai o'r milwyr di-Gymraeg yn cyfeirio ato fel y 'morning hate'. Meddyliai Tecwyn amdano fel 'corws y wawr'. Côr angau. Reifflau, gynnau peiriant a gynnau mawr oedd y tenoriaid a'r baswyr, a'r sieliau fel sopranos ac altos wrth iddyn nhw ruthro drwy'r awyr.

A phawb yn gweddïo na fyddai'r un ohonyn nhw'n ffrwydro yn y ffos. Os na fyddai'r ffrwydrad ei hun yn eu lladd, yna'r perygl oedd y bydden nhw'n cael eu claddu'n fyw. Mi fasa'n well gen i gael fy chwythu i ebargofiant, meddyliodd Tecwyn, na chael fy nghladdu'n fyw yn y mwd yma.

Ond roedd yna gorws y wawr arall i'w glywed cyn i'r gynnau ddechrau tanio, ac yn enwedig wedyn, ar ôl iddyn nhw orffen tanio. *Tria beidio gwrando arnyn nhw*, meddai'r sarjant. Y 'nhw' oedd y milwyr a orweddai allan yn Nhir Neb, wedi'u hanafu'n ddifrifol, yn galw am gymorth, yn crio am eu mamau, yn crefu am gael marw. Sŵn oedd yn ddigon i ddrysu unrhyw un. Ac a oedd eisoes wedi drysu llawer.

Ac yno roedden nhw, yn aros amdano, eu griddfan a'u gweddïau'n nofio ato o'r tywyllwch gwlyb.

'Somebody help me ... please ... somebody.'

'*Gott ... lieber, Gott ... bitte.*'

Sut uffern mae disgwyl i rywun gau ei glustiau i'r corws ofnadwy hwn? meddyliodd Tecwyn. Rhowch gorau iddi! Pam na fedrwch chi farw'n dawel?

Rhoddodd ei wyneb i lawr ar ei freichiau, a chrio.

*

Er bod yn well o lawer gan Richard Tomos gael ei gydnabod fel andros o gymeriad, gwyddai Tecwyn fod gan ei dad enw yn yr ardal fel tipyn o gwffiwr hefyd. Wel, go brin y byddai wedi gallu cadw tafarn heb fedru edrych ar ei ôl ei hun. Roedd Tecwyn wedi'i weld o droeon un ai'n lluchio meddwon drwy'r drws fel sacheidiau o datws, neu'n rhoi terfyn ar gwffas cyn iddi ddechrau drwy gydio yn y ddau oedd ar fin ymladd gerfydd eu coleri a waldio'u pennau yn erbyn ei gilydd.

A doedd o byth yn colli'i dymer.

Ond mi wylltiodd Richard Tomos un noson, gan ddychryn a syfrdanu pawb oedd yn digwydd bod yn y dafarn ar y pryd. Cytunai pawb wedyn mai ar Moi Ceffyl Du ei hun roedd y bai, hwnnw a'i hen geg fawr.

Pawb ond Tecwyn, er na ddywedodd Tecwyn yr un gair. Oherwydd gwyddai mai arno *fo* roedd y bai, yn y bôn, ac na fyddai Richard Tomos byth wedi colli ei dymer efo Moi petai rhywfaint o asgwrn cefn gan ei fab.

Ers iddo fo gerdded allan o'r capel yn hytrach nag arwyddo llyfr ymrestru Erasmus Williams, roedd Tecwyn yn ymwybodol iawn fod yna gryn sibrwd amdano tu ôl i'w gefn.

Roedd pawb wedi disgwyl mai Tarw Nantfechan, o bawb, fyddai un o'r rhai cyntaf i fynd i ymladd dros ei wlad. Dechreuodd y dafarn lenwi'n raddol â hen awyrgylch annifyr, gyda chwsmeriaid yn rhoi'r gorau i siarad bob tro y dôi Tecwyn allan o'r cefn.

Un noson, penderfynodd Moi Ceffyl Du (ar ôl cael boliad reit dda o gwrw) nad oedd o am gadw'n ddistaw, wir. Dechreuodd drwy wneud sŵn clwcian dan ei wynt bob tro roedd Tecwyn o fewn clyw. Ceisiodd Tecwyn ei anwybyddu i ddechrau, ond cynyddu wnaeth y clwcian.

Trodd Tecwyn a gwgu arno. Un mawr, blewog oedd Moi, dyn tua'r un oed â thad Tecwyn. Fferm geffylau oedd ganddo, a theimlai'n chwerw iawn gan fod swyddogion o'r fyddin wedi galw heibio iddo a hawlio nifer o'i geffylau gorau. Roedd o wedi bod yn gwgu i gyfeiriad Tecwyn o'r eiliad yr eisteddodd i lawr gyda'i beint cyntaf.

Yna dechreuodd y clwcian, a phan drodd Tecwyn a gwgu arno, gwgodd Moi Ceffyl Du yn ôl arno, a chlwcian eto.

'Well i chi roi'r gorau iddi, Moi,' meddai Tecwyn wrtho, 'rhag ofn i John Eto'i Ddodwy feddwl eich bod chi'n gneud hwyl am ei ben o.'

Mi fasa unrhyw un call wedi sylweddoli bod Tecwyn yn ceisio ysgafnhau rhywfaint ar bethau ac yna wedi tewi, ond roedd Moi yn rhy chwerw ac, erbyn hynny, yn rhy feddw.

'Dwyt ti, o bawb, ddim mewn unrhyw sefyllfa i ddeud wrth bobol eraill sut i fihafio,' meddai.

A'i ddweud yn uchel hefyd, fel bod pawb arall yn ei glywed, ac yna tewi. Er ei fod o'n teimlo fel cydio yn y dyn gerfydd ei locsyn a'i lusgo allan, penderfynodd Tecwyn droi oddi wrtho. Ond daeth clwc arall, uchel o'r tu ôl iddo.

'Moi, dyna ddigon rŵan,' rhybuddiodd Jini o'r tu ôl i'r bar.

'Ia – cau hi, Ceffyl Du, neu allan fyddi di,' ategodd Richard.

Trawodd Moi wyneb y bwrdd â'i law agored. 'Na, pam ddylwn i?' meddai. 'Pam ddylwn i ei chau hi?' Edrychodd o gwmpas y dafarn. 'Mae pawb yma'n gwbod am be dwi'n sôn – ac mae pawb yn meddwl yr un fath â fi, ond bod arnyn nhw ormod o ofn deud. A sôn am ofn ...' Edrychodd ar Tecwyn. 'Tarw Nantfechan, o ddiawl. Mae gen i lo bach adra ar y ffarm acw sy ...'

Ond chafodd o mo'r cyfle i orffen, oherwydd dyna pryd y ffrwydrodd Richard Tomos. O ystyried ei fod yn ddyn mawr, gallai symud mor gyflym â milgi pan fyddai angen gwneud hynny arno. A'r peth nesaf a wyddai Moi Ceffyl Du oedd fod Richard rywsut neu'i gilydd wedi symud o'r tu ôl i'r bar, a'i fod o nid yn unig wrth fwrdd Moi ond hefyd wedi cydio ym Moi gerfydd ei locsyn a'i godi o'i sedd.

Llusgodd Richard Moi allan o'r tu ôl i'r bwrdd, a hwnnw'n gweryru mewn poen dan yr argraff fod hanner isaf ei wyneb ar dân. Yna gollyngodd Richard ei afael ar y locsyn a chydio ym Moi gerfydd ei wddf a'i godi, ag un llaw, oddi ar y llawr a'i sodro yn erbyn y pared, nes bod blaenau traed Moi'n dawnsio yn yr awyr fel traed dyn yn cael ei grogi.

Siaradodd Richard yn dawel ond clywodd pawb bob un gair.

'Gwranda, y brych blewog,' meddai Richard. 'Mi gerddodd yr hogyn o'r capel y diwrnod o'r blaen am fy mod i'n gwrthod gadael iddo fo grafu ei enw yn y bali llyfr 'na! Ti'n clywed? Y fi wnaeth ei rwystro fo, am fod ei angen o yma arna i a Jini. *Cheith o ddim mynd* – reit? Roedd o'n ysu am gael codi ac ymuno efo'r hogiau eraill, ond fi wnaeth fynnu ei fod o un ai'n aros lle roedd o neu'n cerdded allan. Dallt?'

Nodiodd Moi yn wyllt, a cheisiodd wichian rhywbeth. Roedd ei wyneb yn biws, a rhannau ohono'n dechrau troi'n las.

'Richard ...' meddai Jini. 'Gwell i ti'i ollwng o, dwi'n meddwl.'

'Be? O – reit.'

Gollyngodd Richard ei afael a llithrodd Moi Ceffyl Du i lawr y pared ac ar ei ben-ôl i'r llawr yn brwydro i anadlu.

Ond doedd Richard ddim wedi gorffen. Trodd at weddill y cwsmeriaid.

'A'r lleill ohonoch chi – rydach chi i gyd wedi clywed hynna. Dwi ddim isio gorfod ei ddeud o eto, felly gofalwch eich bod chi'n setlo unrhyw un sy'n meiddio enllibio'r hogyn 'ma tu ôl i'w gefn. Mae'ch cegau chi i gyd yn ddigon mawr – do, dwi wedi'ch clywed chi wrthi ers dyddiau, ond digon yw digon – felly, defnyddiwch y cegau mawr yna i ledaenu rhywfaint o'r gwirionedd o gwmpas y lle 'ma. Duw a ŵyr, dach chi i gyd yn ddigon parod i sibrwd celwyddau.'

Edrychodd o gwmpas y dafarn eto, ac edrychodd pawb arall i lawr ar eu dwylo wrth i Moi Ceffyl Du fustachu i'w draed ac am y drws. Eiliadau wedyn, clywyd sŵn chwydu'n dod o'r tu allan ac meddai Jini, 'Reit – gorffennwch eich diodydd ac ewch adra at eich gwragedd, wir Dduw.'

*

Celwyddau, meddyliodd Tecwyn, yn ei gwman ar stepen saethu'r ffos ac yn wlyb at ei groen; roedd ei dad wedi galw sibrydion ei gwsmeriaid yn gelwyddau.

Ond nid dyna beth oedden nhw, nage? Richard oedd yr un a ddywedodd gelwydd y noson honno, oherwydd doedd o na Jini erioed wedi dweud na gwneud dim i rwystro'u mab rhag ymrestru â'r fyddin.

Doedd dim raid iddyn nhw ... oherwydd dyna oedd y peth olaf roedd arno eisiau ei wneud.

Oherwydd roedd arno ormod o ofn.

Ac roedd ei rieni wedi sylweddoli hynny, gwyddai Tecwyn, ond yn hytrach na ffieiddio tuag ato, roedden nhw wedi neidio i achub ei gam – hyd yn oed os oedd hynny wedi golygu dweud celwydd.

Cofiai ei fod wedi troi a throsi ar ôl mynd i'w wely y noson honno, a'r cywilydd a deimlai wedi'i gadw'n effro. Doedd Richard na Jini wedi sôn gair wedyn am yr hyn a ddigwyddodd efo Moi Ceffyl Du, ac ar ôl i'r cwsmeriaid orffen eu cwrw a'i throi hi am adra, roedd y tri ohonyn nhw wedi mynd ati i gloi a glanhau'r dafarn fel arfer, fel na bai unrhyw beth anghyffredin wedi digwydd.

Roedd cywilydd Tecwyn wedi mynd yn fwy ac yn fwy gyda phob un diwrnod a âi heibio wedyn – yn enwedig wrth iddo wylio'i dad a'i fam yn mynd o gwmpas eu pethau a cheisio rhoi'r argraff i'r byd a'r betws fod pob dim yn iawn, yn tshiampion, yn normal. A phan aeth Tarw Nantfechan i'r dref ar y bws a dychwelyd yn y diwedd â'r newyddion ei fod o wedi ymrestru – wedi 'listio' – yn y fyddin, gwyddai fod ei rieni'n meddwl yn siŵr mai'r cywilydd a deimlai ar eu rhan nhw oedd wedi'i yrru i wneud hynny.

Ond na, ddim ffasiwn beth.

Roedd ei ofn yn fwy o lawer na'r cywilydd hwnnw.

Rhywun arall a'i hanfonodd i'r dref i arwyddo'r llyfr felltith hwnnw a sefyll yn ei drôns a'i singlet yn cael ei fesur a'i bwnio a'i bwyso a'i alw'n 'A-one' – er ei fod o'n crynu fel deilen y tu mewn iddo drwy'r holl broses.

Rhywun arall a gododd gywilydd mwy na'i ofn arno – a hynny gyda dim byd mwy na gwên.

Gwau

'Be? Wnaeth hi 'rioed dy alw di'n syffrajét?'

'Do, cofia,' meddai Megan. 'Un hen a choman hefyd, a bod yn fanwl gywir.'

'Y dreipan!' chwarddodd Cadi. 'Ma'n amlwg, yn dydi, nad oes ganddi unrhyw syniad be ydi syffrajét.'

Roedd hi'n fore oer a'r barrug yn gorwedd yn dew ar y gwrychoedd a'r caeau, ond doedd hynny ddim wedi rhwystro Megan rhag cerdded bob cam i'r Gelli o Allt Wen. Cyrhaeddodd yn fyr ei gwynt a blaen ei thrwyn yn goch ond â'i gwaed yn canu yn ei gwythiennau.

Roedd Cadi a Megan wedi dod yn dipyn o ffrindiau dros y misoedd diwethaf. Bellach, roedden nhw'n cyfarfod rhyw dair neu bedair gwaith bob wythnos (os nad oedd hi'n stido bwrw glaw), yn y Gelli gan amlaf, ac yn treulio dwy awr neu dair gyda'i gilydd yn sgwrsio ac yn gwau.

Fel llawer iawn o ferched Prydain y dyddiau hynny, roedden nhw'n gwau sanau, sgarffiau, menig a gwasgodau ar gyfer y milwyr yn y Ffosydd. Ac yn enwedig ar gyfer Islwyn Allt Wen ac Alun Gelli. Weithiau, byddai'r ddwy fam yn ymuno efo nhw, os oedden nhw'n teimlo'n ddigon cryf i fedru perswadio'u hunain nad gwau'n arbennig ar gyfer eu meibion eu hunain yr oedden nhw. Fel y dywedodd Mair un diwrnod, gan siarad drosti'i hun yn ogystal ag Anni, mam Islwyn, a

Megan (a phob mam arall), 'Mae'r dyddiau pan oeddan ni'n gwau bwtsias gwynion ar gyfer eu traed bach nhw'n ymddangos fel ddoe.'

Heddiw, dim ond Cadi a Megan oedd yn gwau ac eisteddai'r ddwy – fel Siân a Siân – o bobtu'r tân. Roedd Megan newydd orffen sôn am ei phrofiad gyda Leusa Gruffudd ar y bws.

'Mae'n rhyfedd, yn dydi,' meddai Cadi, 'sut mae pobol fel Leusa Chwys yn galw merched eraill yn "syffrajéts" pan fyddan nhw isio'u gwylltio nhw. Dwi wedi clywed sawl dynes yn ddiweddar yn deud "rêl hen syffrajét" am ryw greaduras neu'i gilydd.'

Nodiodd Megan. 'A finnau. Ond y pethau roedd Leusa'n eu deud ddoe, wel, mi fasa rhywun yn meddwl mai *hi* oedd y syffrajét, yn ysu am gael hel pob dyn drosodd i Ffrainc ar ei ben. Dwi'n siŵr, tasa hi'n cael y cyfle, y basa hi'n barod iawn i wthio pluen wen i law rhywun.'

Twt-twtiodd y ddwy i gyfeiliant clician prysur eu gweill. Ymgyrchu dros ennill yr hawl i ferched bleidleisio mewn etholiadau oedd y 'suffragettes' mewn gwirionedd, ond ers dechrau'r rhyfel roedd nifer ohonyn nhw wedi bod yn flaenllaw iawn mewn ymgyrchoedd dros annog dynion ifanc, cryf, i ymrestru yn y fyddin.

Roedd llawer o ferched hefyd – nid y syffrajéts yn unig, o bell ffordd – yn rhoi plu gwyn i ddynion a edrychai, yn eu barn nhw, yn ddigon ifanc ac iach i fod i ffwrdd yn ymladd (os nad oedden nhw'n gwisgo iwnifform o ryw fath yn barod). Roedd hyn yr un fath â galw'r dyn hwnnw yn llwfrgi, fel poeri yn ei wyneb ar y stryd – ac yn wir, roedd nifer o ferched wedi mynd mor bell â gwneud hynny.

Mae Megan yn iawn, meddyliodd Cadi, dyna'r union beth y byddai rhyw ffŵl o ddynes fel Leusa Gruffudd yn ei wneud. Edrychodd ar Megan yn gwgu wrth ganolbwyntio ar ei gwau – maneg, nid y peth hawsaf i'w wau. Gwenodd wrth gofio bod tipyn o ofn Megan Allt Wen arni hi pan oedden nhw'n blant. Roedd Megan ddwy flynedd yn hŷn na hi, yn un peth (ac mae dwy flynedd yn dipyn go lew pan ydych chi'n blentyn), ac ar ben hynny arferai Megan fod yn gymaint o domboi, a'i gwallt du yn gaglau i gyd ac yn gwneud iddi edrych fel hogan wyllt o'r coed. Yn wir, roedd ar gryn dipyn o'r hogiau ei hofn, er na fyddai'r un ohonyn nhw byth yn fodlon cyfaddef hynny.

Ys gwn i, meddyliodd Cadi – ac nid am y tro cyntaf yn ystod y misoedd diwethaf – a fydd Megan a finnau'n chwiorydd yng nghyfraith ryw ddiwrnod? Roedd Megan yn amlwg mewn cariad efo Alun – roedd hynny'n glir pan ddaeth hi â'r llyfr sgwennu hwnnw draw yn anrheg ben-blwydd iddo ddechrau'r haf (a Brenin Mawr, ai dim ond ychydig o fisoedd sydd yna ers hynny? Ma'n teimlo fel oes!). Ac un o'r pethau diwethaf a wnaeth Alun cyn mynd i ffwrdd oedd cerdded bob cam i Allt Wen i weld Megan ...

Trodd Cadi ei sylw yn ôl at ei gwau. Na! meddyliodd. Does wiw i mi hel meddyliau gwirion fel hyn am y dyfodol – rhyfygu ydi peth felly: temtio Duw, temtio ffawd. Fel yna mae rhywun yn drysu ... a dydan ni ddim yn bell o ddrysu'n barod, Mam a fi a phob mam, nain, gwraig, cariad, merch a chwaer arall drwy Brydain i gyd. Bron â drysu dan y straen o beidio gwybod, a'r ofn rydan ni'n ei deimlo bob dydd wrth weld y postmon yn dŵad i fyny'r lôn am y tŷ, a gweddïo mai llythyr oddi wrth Alun sy gynno fo, ac nid llythyr am Alun.

Sylweddolodd ar ôl ychydig fod gweill Megan wedi tewi a llonyddu, a bod Megan yn syllu arni'n betrusgar ac yn cnoi ei gwefus isaf.

'Meg, wyt ti'n iawn? Be sy?'

Daliodd Megan i syllu arni am rai eiliadau, cyn ochneidio a rhoi ei gwau ar ei glin.

'Hyn, Cadi,' meddai. 'Dydi o ... wel, dydi o ddim yn ddigon, nac ydi?'

'Be?'

'Y gwau diddiwedd 'ma. O – mae o'n helpu, dwi'n gwybod ... ond ...'

'Ond be, Meg?'

'Dwi isio gneud mwy, Cadi. Mwy na dim ond gwau, gwau, gwau. Eistedd yma ar fy mhen-ôl o flaen tanllwyth o dân, tra mae ... tra mae Alun ... ac Islwyn ... a ...'

Edrychodd i ffwrdd â'i llygaid yn sgleinio'n wlyb, ond pan drodd yn ei hôl roedd y dagrau wedi mynd ac yn eu lle roedd rhyw oleuni rhyfedd a phenderfynol.

'Dwi wedi bod yn meddwl, Cadi – ac wedi penderfynu. Dwi am drio ymuno efo'r VAD.'

*

Y VAD oedd y Voluntary Aid Detachment, sef gwasanaeth nyrsio gwirfoddol. Doedd y gwirfoddolwyr hyn – ac roedd yna tua 74,000 ohonyn nhw ar ddechrau'r rhyfel – ddim wedi cael eu hyfforddi'n broffesiynol fel nyrsys.

'Wn i, wn i. Ond mi ga' i ddysgu, felly, yn caf?' oedd ymateb Megan pan ddywedodd Cadi hyn. 'Chei di ddim gwell athro na phrofiad. Ac mi fedra i yrru ambiwlansys.'

'Be?'

''Rargian fawr, tydw i wedi bod yn gyrru'r hen dractor acw ers hydoedd. Fydda i'r un chwinciad yn meistroli ambiwlans. A moto-beic hefyd, gei di weld.'

Roedd siarad am hyn i gyd wedi llenwi Megan â brwdfrydedd newydd, fel tasa clywed ei llais ei hun yn dweud y geiriau'n uchel wedi rhoi mwy o nerth iddi, rywsut, a'u gwneud fwy o wirionedd yn hytrach na dim ond cynlluniau amwys. Dwi am ymuno, meddai wrthi'i hun wrth gerdded i lawr o'r Gelli am Nantfechan; alla i ddim aros adra yn gwneud dim byd ond gwau tra mae'r hogiau i ffwrdd yn ymladd.

Teimlodd bigyn bychan o euogrwydd wrth feddwl am adra. Roedd hi'n ddigon gonest i gyfaddef iddi'i hun mai 'adra' oedd un o'r rhesymau pam roedd arni eisiau mynd i ffwrdd – oherwydd teimlai Megan nad oedd Allt Wen wedi bod yn 'adra' ers i Islwyn fynd. Roedd ei mam yn mynd o gwmpas y lle fel tasa'r tŷ yn dŷ galar yn barod, roedd ei thad yn fwy tawedog nag erioed, ac am Dei ...

Aeth Dei yn lloerig pan ddaethon nhw adref o'r capel y Sul ofnadwy hwnnw efo'r newyddion fod Islwyn wedi arwyddo llyfr ymrestru Erasmus Williams. Bu'n rhaid i'w dad eistedd arno fwy neu lai, neu fel arall byddai yntau hefyd wedi rhuthro i lawr i dŷ'r gweinidog ac arwyddo'r llyfr.

'Dwi dy angen di yma, siŵr!' meddai ei dad wrtho. 'Mi fydd hi'n ddigon caled arnon ni efo Islwyn yn galifantio yn Ffrainc.' Roedd o wedi troi a gwgu ar Islwyn wrth ddweud hyn. 'Mae isio sbio ar dy ben dwl di, hogyn,' meddai wrtho, 'a chicio dy hen din gwirion di.'

Ers hynny, ychydig iawn o Gymraeg a fu rhwng Dei a'i dad, er bod y ddau'n aml yn gweithio ochr yn ochr. Diflannodd hiwmor direidus Dei hefyd y diwrnod hwnnw; aeth y cymêr i ffwrdd i rywle a daeth creadur pwdlyd a di-serch yn ei le, a gyda'r nos prin yr oedd brawddeg sifil i'w chlywed rhwng muriau carreg Allt Wen.

Teimlai Megan yn euog hefyd oherwydd ei bod wedi'i chael ei hun droeon yn hiraethu mwy ar ôl Alun nag ar ôl ei brawd ei hun, ac yn poeni mwy amdano hefyd. Doedd y ffaith fod Islwyn yn un gwael am sgwennu llythyrau ddim yn helpu, chwaith, tra oedd Alun yn ... wel, yn Alun.

Y fo a'i sgwennu, meddyliodd Megan wrth gerdded, y fo a'i gerddi. Cyn iddo fynd i ffwrdd, roedd Alun wedi cerdded i fyny i Allt Wen, yn ei iwnifform, a'r llyfr nodiadau lledr hwnnw a brynodd Megan iddo dan ei gesail.

'Mi fydda i'n dawelach fy myd,' meddai wrthi, gan roi'r llyfr iddi, taswn i'n gwbod dy fod di yma i edrych ar ôl hwn. Mae o'n rhy ...' Cochodd at ei glustiau ac edrych i bob cyfeiriad ond ar Megan, '... yn rhy werthfawr i mi feddwl am fynd â fo efo fi. A dwi wedi ... wel, dwi wedi sgwennu rhyw bwt ... reit yn y dechrau.'

Agorodd Megan y llyfr a rhuthrodd y dagrau i'w llygaid pan ddarllenodd y geiriau roedd Alun wedi'u sgwennu'n ofalus ar y dudalen:

> Er ei bod yn haeddu'r byd
> A'i aur a'i holl drysorau,
> I'r un a roes ei gwên i mi
> Cyflwynaf hyn o eiriau.

'O, Alun.'

Roedd ei wyneb bellach bron yn biws a siaradodd yn gyflym. 'Ac os ga' i sgwennu atat ti bob ryw hyn a hyn ... a chynnwys rhyw bwt o gerdd yma ac acw efo ambell lythyr ... wyt ti'n meddwl y gallet ti ... wel, sgwennu'r gerdd yn y llyfr yma? Mae dy lawysgrifen di mor daclus yn ymyl fy un i ... sgwennu traed brain, os bu'r ffasiwn beth erioed.'

'Debyg iawn!'

Erbyn hynny roedd y dagrau'n powlio i lawr ei hwyneb, ond doedd dim ots ganddi, doedd ganddi'r un affliw o ots. Dyna pryd y daeth Islwyn allan o'r tŷ atyn nhw, yntau hefyd yn ei iwnifform, a wir, meddyliodd Megan, mi faswn i wedi gallu tagu'r mwnci am beidio ag aros am un funud arall. Gwyddai fod Alun ar fin cydio ynddi a'i gwasgu hi'n dynn, dynn, ac efallai am ei chusanu hyd yn oed. Ond na, roedd yn rhaid i Islwyn ddŵad a difetha'r cwbwl, oherwydd neidiodd Alun oddi wrthi fel tasa hi wedi'i throi'n sarff wenwynig yn y fan a'r lle ...

... ond mi wnaeth o droi a sbio'n ei ôl arna i cyn diflannu heibio tro'r lôn, cofiai Megan.

Cadwodd Alun ei addewid, a daeth llythyr trwchus oddi wrtho i Allt Wen bron bob wythnos – weithiau dau efo'i gilydd, yn dibynnu sut siâp oedd ar bost y fyddin yr wythnos honno. Roedd ei lythyr diweddaraf – wythnos yn ôl bellach – wedi cynnwys cerdd fechan o'r enw 'Iddi Hi' – a neges bryfoclyd gan Alun: 'Acrostig ydi'r gerdd yma, Meg.

Be oedd 'acrostig'? Doedd dim clem gan Megan. Darllenodd y gerdd:

> Mae dy wedd a'th wên yn llenwi'm cof a'm calon
> Er dy fod yn bell, mor bell i ffwrdd.
> Gwelaf hwy bob nos, bob awr yn fy mreuddwydion
> A hwy sydd yn fy nghwsg hyd lwybrau du ac estron
> Nes daw'r dydd y cawn ni eto gwrdd.

Wel, meddyliodd, dwi'n ddigon powld i gymryd mai fi ydi'r "Hi" yn y teitl – ond dwi'n dal ddim callach ynglŷn â be ydi 'acrostig'. Roedd hi wedi holi gartref, ond doedd neb yn gwybod. 'Mi ges i acrostig gan Alun yn ei lythyr dwytha,' meddai wrth Cadi. 'Gest ti a dy fam un?'

Roedd Cadi wedi sbio'n hurt arni. 'Ddim i mi wbod. Be ydi peth felly?'

Yna, ddwy noson yn ddiweddarach, wrth ddarllen y gerdd drosodd a throsodd, sylweddolodd fod llythyren gyntaf pob llinell yn cyfateb i lythyren o'i henw hi: **Mae ... Er ... Gwelaf ... A ... Nes ... M-E-G-A-N.**

'Megan!'

Neidiodd. Roedd hi ar goll yn ei byd bach ei hun, heb sylweddoli ei bod yn Nantfechan erbyn hyn. Trodd. Safai Glesni Williams yr ochr arall i'r ffordd, wedi'i lapio mewn côt ddrud yr olwg.

O, meddyliodd Megan, dwi'n ddigon da i ti siarad efo fi heddiw, ydw i? Roedd ffrindiau newydd gan Glesni ers tro, bellach, criw o genod o'r dref – rhyw bethau digon la-di-da a phenwag, ym marn Megan – a phrin y byddai Glesni'n cymryd arni ei bod hi'n nabod Megan pan oedd y genod eraill gyda hi.

Dechreuodd groesi at Megan, ac wrth iddi hi nesáu, gwelodd Megan fod golwg lwyd a phryderus iawn ar Glesni. Roedd wythnosau lawer ers i Megan ei gweld hi, a chafodd fraw o weld bod golwg wael ar yr eneth; ar wahân i'w hwyneb gwelw, roedd hi wedi colli cryn dipyn o bwysau.

'Wyt ti'n cadw'n iawn?' gofynnodd Glesni.

'Ydw, o ystyried pob dim. A tithau?'

Syllodd Glesni arni am ychydig cyn nodio'n swta. 'Wyt ti wedi clywed oddi wrth dy frawd?'

'Mae Islwyn yn trio sgwennu rhyw bwt o lythyr o bryd i'w gilydd. Ond mae hynny'n ddigon i Mam, mae hi'n gwbod ei fod o'n fyw ac yn weddol iach,' meddai Megan.

'Beth am Alun Gelli?' holodd Glesni.

Dwi ddim am rannu mwy efo hon na sydd raid i mi, meddyliodd Megan.

'Yntau hefyd,' meddai.

Nodiodd Glesni eto. 'A ...Tecwyn Tŷ'r Nant?' meddai. 'Fyddi di'n cael rhywfaint o'i hanes o gan Alun neu dy frawd?'

'Fawr ddim,' atebodd Megan, gan feddwl: Pa ddiddordeb sy gan hon yn Tecwyn, o bawb? Ydi hi am fy holi ynghylch pob un hogyn o'r ardal sy wedi mynd i Ffrainc? 'Ond dwi'n siŵr y baswn i wedi clywed tasa unrhyw beth wedi digwydd iddo fo.'

Doedden nhw ddim yn bell o ddrysau Tŷ'r Nant, ac wrth i Megan siarad, daeth Jini, mam Tecwyn, allan o'r dafarn gan anelu'n syth amdanyn nhw yn benderfynol, fel llong hwyliau fawr. Suddodd calon Megan. Oedd Jini wedi cael newyddion drwg?

Nodiodd Megan tuag ati. 'Gofyn i'w fam o,' meddai wrth Glesni. 'Dyma dy gyfle di.'

Trodd Glesni wrth i Jini eu cyrraedd ac aros yn stond. Roedd ei llygaid wedi'u hoelio ar Glesni, fel na bai Megan yno o gwbwl.

'O, Mrs Tomos,' dechreuodd Glesni.

A phoerodd Jini i'w hwyneb cyn troi a martsio'n ôl i'r dafarn a chau'r drws ar ei hôl gyda chlep uchel.

Roedd Megan yn gegrwth. 'Argol fawr!' llwyddodd i'w ddweud yn y diwedd. 'Be ar wyneb y ddaear ddaeth dros ...?'

Trodd at Glesni, a safai yno yn stiff fel procer ond yn crynu drwyddi i gyd. Tynnodd Megan ei hances o'i llawes.

'Nefi wen, ydi'r ddynes yn gall, dywed?' meddai, gan sychu'r poer oedd wedi glynu wrth wyneb Glesni. 'Be goblyn?'

Roedd dagrau'n llifo o lygaid Glesni erbyn hyn.

'O, Megan,' meddai. 'Meg... dwi wedi ... mae arna i ofn fy mod i wedi gwneud rhywbeth ofnadwy, cofia.'

Jini

Pwysodd Jini yn erbyn drws y dafarn, yn ddiolchgar o gael y
pren solet yn erbyn ei chefn. Roedd ei chalon yn cicio'n
ffyrnig fel petai hi'n gwneud ei gorau i ffrwydro allan ohoni, a
llifai hen chwys oer, annifyr dros ei chorff i gyd. Ofnai y
byddai'n gweld bod ei hwyneb yn biws a'i gwefusau'n las petai
hi'n edrych yn y drych, a meddyliodd: Fel hyn mae pobol yn
teimlo wrth gael trawiad ar y galon, fel hyn yn union.

Caeodd ei llygaid gan ddisgwyl y byddai'n teimlo'r cicio
yn ei bron yn troi'n ddyrnu ac yn gweld y llawr yn rhuthro i
fyny tuag ati cyn i'r tywyllwch gau amdani.

'O, Dduw mawr,' sibrydodd.

Ond, yn raddol, teimlodd ei chalon yn dechrau arafu a
rhoddodd y byrddau, y cadeiriau a'r bar y gorau i droi'n wyllt
o'i blaen, nes iddi deimlo'n ddigon cryf i sythu ac eistedd ar
un o'r cadeiriau.

Diolch byth fod Richard wedi picio i'r dref; byddai wedi
dychryn am ei fywyd petai o wedi'i gweld fel hyn.

Ond mi fyddai wedi cael mwy fyth o fraw petai o wedi'i
gweld hi'n poeri yn wyneb merch y gweinidog funudau
ynghynt. Nefi wen, mi ges i fraw, meddyliodd Jini; do'n i ddim
wedi bwriadu gneud y ffasiwn beth. Iawn, o'r gorau, ro'n i
wedi bod yn breuddwydio am ei wneud o, ers wythnosau, ond
feddyliais i erioed y baswn i'n ei wneud o. Ond pan ddigwyddais

i edrych allan a'i gweld hi'n sgwrsio efo hogan Anni Allt Wen, mi ddaeth rhywbeth drosta i, a'r peth nesa wyddwn i ro'n i'n brysio'n ôl i mewn yma efo'r teimlad rhyfedd fy mod i newydd weld rhywun arall, rhywun oedd yr un ffunud â fi, yn mynd at y jadan fach yna a phoeri reit i ganol ei hen wep bach sbeitlyd hi.

Diolch byth, hefyd, mai dim ond Megan Allt Wen a'i gwelodd yn gwneud hyn. Mae'n siŵr fod y greadures honno'n methu'n glir â dallt be oedd yn bod, ac yn argyhoeddedig fod Jini Tŷ'r Nant wedi colli arni. Oedd Glesni Williams yn debygol o esbonio i Megan? Go brin, penderfynodd Jini; mae hi'n fwy tebygol o gymryd arni fod dim syniad o gwbwl ganddi pam fy mod i wedi ymosod arni hi fel yna.

Efallai y dylwn i fod wedi gneud mwy o sioe o'r peth – aros amdani'r tu allan i'r capel nes iddi hi ddod allan efo'i theulu, ac yna cyhoeddi'n uchel, 'Gofynnwch iddi hi pam wnes i hyn!'

Ia – a syrthio'n farw wedyn yn y fan a'r lle, Jini Tomos: edrycha sut siâp sy arnat ti rŵan a thithau wedi'i neud o ar garreg dy ddrws dy hun fwy neu lai. Mi fasat yn siŵr o gael trawiad tasat ti wedi'i neud o tu allan i'r capel, yng ngŵydd pawb.

Sylweddolodd Jini fod gwên fechan ar ei hwyneb bellach, ac nad oedd hi'n difaru gwneud yr hyn a wnaethai. Dim un tamaid. Yn wir, roedd Glesni Williams yn lwcus ar y naw mai dim ond mymryn bach o boer a laniodd ar ei hwyneb, ac nid dwrn – oherwydd dyna be roedd y gnawes yn ei haeddu am yr hyn wnaeth hi i Tecwyn druan.

Cofiai'r diwrnod yn iawn. O, doedd hi ddim yn debygol o

anghofio'r diwrnod hwnnw pan ddiflannodd Tecwyn am oriau cyn dychwelyd efo'r newyddion ysgytwol mai wedi mynd i'r dref er mwyn ymrestru efo'r fyddin yr oedd o.

Ganol y bore oedd hi, diwrnod heulog arall, cofiai Jini, ac roedd Tecwyn allan o flaen y dafarn a hithau i fyny'r grisiau'n glanhau'r llofftydd. Cyrhaeddodd y certmyn efo'r casgenni cwrw, ac roedd cryn dipyn o sŵn grwgnach a thuchan i'w glywed drwy ffenest agored yr ystafell wely. A chryn dipyn o regi, hefyd – roedd y ddau gertmon yn rhegi fel cathod. Roedd Jini ar fin brathu ei phen allan drwy'r ffenest a gweiddi, 'Hei, llai o'r araith yna, y taclau coman!' arnyn nhw pan glywodd hi Tecwyn yn hisian arnyn nhw i dewi. Edrychodd allan a gweld bod pedair o ferched ifanc yn cerdded yr ochr arall i'r ffordd – Glesni Williams gyda thair o genod oedd yn ddieithr i Jini, i gyd wedi'u gwisgo fel tasen nhw ar eu ffordd i ryw ddawns swanc.

Arhosodd y pedair yr ochr arall i'r stryd. Dywedodd Glesni rywbeth wrth y lleill a throdd y tair gan syllu dros y ffordd i gyfeiriad Tecwyn a'r ddau gertmon, a'r rheini'n giglan yn wirion.

Yna galwodd Glesni, 'Tecwyn? Ddoi di yma am funud bach?'

Gwelodd Jini'r tair arall yn pwnio'i gilydd yn slei a chafodd ei themtio eto i wthio'i phen allan drwy'r ffenest a dweud wrth Tecwyn am ddal ati efo'i waith; roedd yn amlwg fod y merched yn bwriadu chwarae rhyw dric arno. Ond cyn iddi gael y cyfle, gwelodd Tecwyn yn croesi at y merched gan sychu cledrau ei ddwylo ar ei drowsus.

Chlywodd hi mo'r hyn a ddywedodd Glesni wrtho

oherwydd y sŵn a wnâi'r certmyn wrth rowlio'r casgenni hyd y llawr. Ond fe'i gwelodd hi'n camu tuag at Tecwyn â gwên lydan, ffals ar ei hwyneb, ac yna'n gwthio rhywbeth i'w law cyn brysio i ffwrdd oddi wrtho efo'r genod eraill, i gyfeiliant rhagor o'r hen giglan hurt.

Chododd Tecwyn mo'i ben i'w gwylio nhw'n mynd. Yn hytrach, safai'n hollol stond yn rhythu ar beth bynnag roedd Glesni Williams wedi'i wthio i mewn i'w law. Roedd ei ysgwyddau'n grwn, cofiai Jini, fel tasa fo wedi cael ei gicio'n

galed yn ei fol. Arhosodd fel hyn am funudau hir nes i un o'r certmyn alw arno gan ddweud eu bod nhw wedi gorffen tra oedd Tecwyn yn sefyll yno'n llaesu ei ddwylo. Sythodd Tecwyn a gwthio'r hyn oedd ganddo yn ei law i'w boced cyn croesi'r stryd yn ôl at y certmyn ac o olwg Jini – ond nid cyn iddi weld bod ei wyneb yn hollol wyn.

Hmmm, meddyliodd Jini, tybed be oedd hynna? Ond dyna fo, roedd genod ifanc mewn criw yn gallu bod yn bethau digon creulon ac yn barod i dynnu ar ddynion ifanc bob gafael.

Penderfynodd beidio â holi Tecwyn ynglŷn â'r peth: doedd arni ddim eisiau gwneud i'w mab gochi at ei glustiau a throi'n dalp o chwys –roedd y creadur wedi dioddef digon dros yr wythnosau diwethaf, gyda'r holl sibrwd a ddigwyddai tu ôl i'w gefn. Chafodd hi mo'r cyfle, fodd bynnag, oherwydd yn go fuan wedyn, estynnodd Tecwyn ei siaced a diflannu drwy'r drws heb ddweud i ble roedd o'n mynd. Am dro, tybiodd Jini ar y pryd – nes iddo ddychwelyd o'r dref oriau'n ddiweddarach gyda'r newyddion a wthiodd Glesni Williams a phopeth arall o feddwl ei fam.

*

Ar ôl i Tecwyn adael am Ffrainc, aeth wythnosau heibio cyn i Jini fedru glanhau ei ystafell wely. Roedd hi wedi dechrau gwneud hynny droeon, ond câi ei llethu gan yr hiraeth mwyaf ofnadwy.

'Tyrd, wir, y ffuret wirion,' fe'i ceryddai ei hun bob tro. 'Mi fydd o yn ei ôl cyn i ti droi rownd. Bydd yr hen ryfel gwirion yma drosodd erbyn y Dolig.'

Ond roedd y Dolig yn nesáu, a phethau'n mynd o ddrwg i waeth draw yn Ffrainc, yn ôl y sgyrsiau a glywai bob nos yn y bar. Un diwrnod, felly, llwyddodd i fygu rhywfaint ar ei hemosiynau a mynd ati i lanhau llofft Tecwyn, golchi ei ddillad, eu smwddio a'u cadw yn y cypyrddau a'r droriau.

Daeth o hyd i'r bluen wen yng ngwaelod un o'r droriau, o dan bentwr o'r ffedogau a wisgai Tecwyn pan oedd yn gweithio tu ôl i'r bar.

'Be aflwydd?' ebychodd Jini.

Rhythodd yn hurt ar y bluen. Pam ar wyneb y ddaear roedd yr hogyn gwirion yn cadw'r ffasiwn beth yn ei ddrôr?

Yna teimlodd Jini ei choesau'n rhoi oddi tani ac oni bai fod yna wely reit o dan ei phen-ôl, mi fyddai hi wedi syrthio i'r llawr. Er nad oedd unrhyw brawf ganddi, gwyddai mai gwthio'r bluen hon i law Tecwyn a wnaeth Glesni Williams y tu allan i'r dafarn y diwrnod hwnnw.

'O, 'ngwas i, 'ngwas bach i.'

Er ei bod yn teimlo fel rhwygo'r bluen yn ddarnau mân a llosgi'r tameidiau wedyn, rhoddodd Jini hi yn ôl yn y drôr, o dan y ffedogau. Doedd hi ddim am gymryd arni ei bod hi'n gwybod amdani – yn sicr, nid wrth Richard, neu does wybod be fyddai hwnnw'n ei wneud, nac ychwaith wrth Tecwyn pan ddôi adref.

Sychodd ei dagrau a mynd o'r ystafell, gan gau'r drws yn dawel ar ei hôl.

Byddwch Ddynion

Frelinghien, Gogledd Ffrainc
Noswyl Nadolig, 1914

Safai Alun yn syllu i lawr ar Tecwyn. Roedd Tecwyn yn hanner eistedd, hanner gorwedd ar silff bren gul, gyda matres denau rhyngddo fo a'r pren, ac yn cysgu'n sownd.

Sut goblyn mae hwn yn gallu cysgu fel hyn yn y lle 'ma ac yng nghanol yr holl dwrw? holodd Alun ei hun. Ond dyna fo, rêl cysgwr fu Tecwyn Tŷ'r Nant erioed. Cofiodd Alun am yr holl droeon y bu'r ddau ohonyn nhw'n cael eu gwynt atynt ar ben tas wair yn y Gelli, yn gorwedd ar eu cefnau ac yn dychmygu gweld siapiau rhyfedd yn y cymylau. A'r holl droeon y dechreuodd Alun ddweud rhywbeth neu'i gilydd, a sylweddoli bod Tecwyn yn chwyrnu cysgu wrth ei ochr.

Edrychai mor ysgytwol o ifanc, fel hogyn bach wedi'i wisgo fel milwr. Roedd ei helmed yn gorwedd yn gam ar hanner ei ben a'r rhwymau budr, gwlyb rhwng ei benlliniau a'i draed wedi dechrau datod ac yn hongian yn llac fel cadachau llipa.

Mygodd yr ysfa i ddeffro Tecwyn gyda chic galed. Doedd Alun ddim wedi dweud yr un gair wrth neb am hyn, ond roedd darn bychan ohono'n dal i daeru mai Tecwyn oedd yn hanner gyfrifol am ei sbarduno i arwyddo llyfr recriwtio Erasmus Williams. Crwydrodd meddwl Alun yn ôl i'r bore Sul hwnnw yn y capel ...

Roedd hi'n boeth – bron yn annioddefol o boeth. Gallwn sgwennu cerdd am hyn, meddyliodd Alun wrth sbecian o gwmpas y capel ar y gynulleidfa, ar yr holl wynebau coch yn sgleinio'n anghyfforddus uwchben eu coleri gwynion, tyn. Tician undonog y cloc wrth i'r munudau lusgo heibio, dafnau o chwys yn llifo i lawr barfau'r dynion mewn oed, a'u gwragedd wrth eu hochrau yn eu dillad duon.

Dringodd Erasmus Williams i fyny i'r pulpud.

Yn ei iwnifform.

Dyma'r tro cyntaf i Alun ei weld o fel hyn. Roedd y gweinidog eisoes wedi bod yn destun siarad yn yr ardal: roedd o'n cefnogi'r rhyfel, ac yn mynd o gwmpas y lle yn annog dynion ifanc i ymrestru ac ymladd. Nid lle gweinidog yr efengyl oedd hyrwyddo'r rhyfel, meddai amryw o bobol, ac yn sicr ni ddylai lifrai milwrol gael eu gweld mewn pulpudau yng nghapeli Cymru.

Ond roedd eraill wrth eu bodd ac yn credu mai dangos cefnogaeth i'r hogiau oedd eisoes wedi ymrestru yr oedd Erasmus, drwy wisgo'r un dillad â nhw.

Pethau digon plaen a di-sylw, os nad hyll, oedd yr iwnifforms gan amlaf, ac roedd pob milwr, ym marn Alun, yn edrych fel sachaid o datws. Ond nid felly'r gweinidog. Edrychai'n dalach nag erioed yn ei wisg filwrol, a safai'n hollol syth wrth ddarllen o'r Beibl, fel petai rhywun wedi gwthio procer i lawr ei gefn. A llwyddai'r goler gron, wen i edrych yn wynnach yn erbyn y dillad caci nag a wnâi yn erbyn düwch ei siwt arferol.

Ciledrychodd Alun ar ei fam. Eisteddai Mair rhwng Alun a Cadi – roedd hi wedi eistedd rhyngddyn nhw ers pan oedden nhw'n blant aflonydd er mwyn eu rhwystro rhag pwnio a phinsio a chicio'i gilydd. Gwelodd Alun hi'n brathu ei gwefus isaf wrth iddi syllu ar y gweinidog, ei hedmygedd ohono yn amlwg wedi dechrau cilio.

'Wir, dydw i ddim yn licio'r hen ddillad yna iddo fo,' clywodd Alun hi'n dweud gartref wrth ei dad.

'Dydw innau ddim yn licio'r dyn sydd y tu mewn iddyn nhw,' oedd ateb Gwilym. 'Tydi o ddim ond yn gwisgo'r dillad yna er mwyn crafu pen-ôl Lloyd George.' Ni chafodd ei dad ei ddwrdio am ddweud hyn, arwydd arall fod seren y gweinidog wedi pylu gryn dipyn yn y Gelli.

Ond roedd y capel yn llawn eto heddiw, fel yr oedd o bob dydd Sul ers i Erasmus Williams ddechrau pregethu yn ei wisg filwrol. Petai o yno yn ei ddillad cyffredin, meddyliodd Alun, mi fyddai'r rhan fwyaf o'r rhain yn mynd adra'n teimlo'n siomedig ar y naw.

Ac yna, ar ôl y darlleniad, y weddi a thri emyn a'r casgliad, dechreuodd Erasmus ar ei bregeth.

Roedd Alun wedi treulio oriau lawer ers iddo gyrraedd Ffrainc yn gwneud ei orau glas i gofio'r bregeth honno – pregeth dyngedfennol, os bu un erioed.

'Byddwch ddynion!' taranodd Erasmus Williams o ddiogelwch ei bulpud. 'Sefwch i fyny yn eofn dros eich gwlad, dros eich rhyddid a thros eich Duw!'

... a dyna lle roedd Alun Gelli yn ysu am gael troi ei ben i weld a oedd rhywun wedi codi ar ei draed. Ond roedd llygaid y gweinidog fel petaen nhw wedi'u hoelio ar ei lygaid o, y fo a

neb arall, a theimlodd Alun y chwys yn llifo i lawr ei wyneb a'i wâr ...

... a thrwy gornel ei lygad chwith gwelodd rywun yn sefyll. Islwyn Allt Wen, brawd Megan, a Megan wrth ei ochr yn rhythu arno a'i cheg yn llydan agored a'i hwyneb – a oedd eiliadau ynghynt yn sgleinio'n goch – yn troi'n wyn fesul tipyn fel pe bai'r gwaed yn llifo ohono. Camodd Islwyn allan o'i sedd a dechreuodd Megan godi fel petai hi am ei ddilyn neu ei rwystro, ond wrth i Islwyn gerdded am y sêt fawr a'i gefn yn benderfynol o syth, suddodd Megan yn ei hôl yn llipa. Wrth ei hochr, eisteddai ei mam a'i hwyneb yn ei dwylo, ei hysgwyddau'n crynu.

Yna, trodd Megan yn sydyn a syllu ar Alun â'i llygaid yn fawr yn ei phen. Oedd hi'n ymbil arno i wneud rhywbeth –

unrhyw beth a fyddai'n chwalu'r hunllef hon ac a fyddai, mewn rhyw ffordd wyrthiol, yn gwneud i'w brawd aros yn stond, troi ar ei sawdl a dychwelyd i'w sedd heb arwyddo'r llyfr oedd ym mreichiau Erasmus Williams fel anrheg werthfawr.

Yna, clywodd Alun sŵn rhywun yn codi'r tu ôl iddo, a gan ei fod o, ar ôl yr holl flynyddoedd o fynychu'r capel, yn gwybod i'r dim pwy oedd yn eistedd ym mha sedd, gwyddai heb orfod troi mai Tecwyn Tŷ'r Nant oedd yno. Teimlodd fysedd yn tynnu ei lawes, a dim ond wedyn, pan wgodd Erasmus Williams ar ei fam a dweud wrthi – a'r poer yn ewyn gwyn yng nghorneli ei geg – fod ei henaid mewn perygl ac y dylai fod â chywilydd mawr ohoni'i hun, y sylweddolodd Alun ei fod yntau hefyd wedi codi a chychwyn am y sêt fawr.

Wedi'r cwbl, os oedd Tecs ...

Ond doedd Tecs ddim, nag oedd? Dim ond pan oedd o bron â chyrraedd y sêt fawr y sylweddolodd Alun nad oedd yna sŵn traed yn ei ddilyn, fod drws y porth, ac yna ddrws y capel, wedi agor a chau. A phan drodd, doedd yna ddim golwg o Darw Nantfechan.

Roedd o wedi edrych yn wyllt o gwmpas y capel a gweld môr o wynebau'n rhythu'n ôl arno, ac fel ynysoedd yng nghanol y môr hwnnw, wynebau ei fam a'i chwaer a Megan wedi eu peintio'n wyn. Ond yna teimlodd law'r gweinidog yn cau'n dynn am ei fraich a rywsut neu'i gilydd, plygodd a chrafu ei enw o dan enw Islwyn Allt Wen ar dudalen y llyfr.

Hosan Nadolig

Frelinghien, Gogledd Ffrainc
Noswyl Nadolig, 1914

Roedd pethau wedi digwydd mor sydyn ar ôl i'r hogiau arwyddo llyfr y gweinidog. Diwrnod da o bysgota – saith o 'fechgyn gwritgoch' yr ardal – i Erasmus Williams. Cyn iddyn nhw droi rownd, bron, roedden nhw ar y trên i Landudno, lle bydden nhw'n treulio cyfnod mewn gwersyll yn hyfforddi ar gyfer ... wel, ar gyfer lladd pobol eraill, yn y bôn, ac ymdrechu yr un pryd i ddal eu gafael ar eu bywydau eu hunain.

Dair wythnos yn ddiweddarach, ymunodd Tecwyn Tŷ'r Nant â nhw.

'Lle wyt ti wedi bod tan rŵan, Tecs?'

Bwriad Alun oedd culhau rhywfaint ar y bwlch oedd wedi tyfu rhyngddyn nhw dros y blynyddoedd. Ond ateb digon swta a gafodd o gan Tecwyn.

'Dwi yma rŵan, yn dydw?'

Ychydig iawn o Gymraeg a fu rhwng y ddau wedyn, gyda Tecwyn fel petai'n osgoi pob cyfle i dreulio amser ar ei ben ei hun efo Alun. O, rydan ni'n siarad efo'n gilydd, ydan, meddyliodd Alun, ond dydan ni ddim yn sgwrsio. Nid fel roeddan ni.

Wrth syllu ar Tecwyn yn cysgu, daeth geiriau Megan yn ôl i feddwl Alun. *A chithau'n arfer bod yn gymaint o ffrindiau ers talwm.*

Wel, mae'n hen bryd i'r lol yma orffen, penderfynodd

Alun. Mae'r ddau ohonon ni yn yr un cwch rŵan – cwch simsan ar y naw hefyd, a does wybod faint fydd o'n para cyn dechrau gollwng a suddo i lawr i'r tywyllwch, gan fynd â ni i lawr efo fo.

Ac mae fory'n ddiwrnod Dolig ...

Plygodd ac ysgwyd Tecwyn yn ysgafn gerfydd ei ysgwydd. 'Tecs,' meddai'n dawel. Rhoddodd bwniad ysgafn iddo. 'Tecwyn.'

Rhochiodd Tecwyn yn uchel, ond arhosodd ei lygaid ynghau. 'Paid,' meddai yn ei gwsg. 'Gad lonydd i mi. Dwi ddim isio ... does arna i mo'i hisio hi.'

Bobol annwyl, be oedd hyn? 'Dwyt ti ddim isio be, Tecs?' gofynnodd Alun.

Dechreuodd Tecwyn ysgwyd ei ben yn ffyrnig o ochr i ochr. 'Dos o'ma, wnei di! Dwi ddim isio hi. Dos â'r bluen 'na o'ma. Da...damia chdi. Dos o'ma!'

Agorodd ei lygaid yn sydyn: roedd ei floedd uchel ei hun wedi'i ddeffro. Rhythodd yn hurt ar Alun.

'Chdi,' meddai. Edrychodd o'i gwmpas fel petai'n disgwyl gweld rhywun arall yno, yn cuddio'n ddireidus y tu ôl i Alun.

'Ia, dim ond y fi,' meddai Alun.

'Be wyt ti isio, Gelli?'

Eisteddodd Tecwyn i fyny'n llawn a rhwbio'i wyneb a'i lygaid. Roedd Alun yn sefyll yno'n rhythu arno.

'Be?' meddai Tecwyn yn biwis. Edrychodd i fyny ar Alun, cyn edrych i ffwrdd yn gyflym. Doedd o ddim yn hoffi'r ffordd roedd Alun Gelli'n edrych arno, ac ofnai ei fod o, yn yr eiliadau rhyfedd hynny sydd rhwng cwsg ac effro, wedi'i glywed ei hun yn siarad.

Ond roedd ei freuddwyd mor fyw – gallai fod wedi taeru.

'Be ddeudist ti rŵan, Tecs?' holodd Alun.

'Be haru ti? Ddeudis i ddim byd. Mi o'n i'n cysgu'n sownd nes i chdi fy neffro i.'

'Roeddat ti'n siarad yn dy gwsg.'

Gwibiodd un o sieliau'r Almaenwyr dros eu ffos gyda sgrech annaearol, a gwingodd y ddau.

'Wyt ti'n synnu? Ma'n wyrth fy mod i wedi gallu cysgu o gwbwl yn y lle 'ma,' meddai Tecwyn. 'Ac mi o'n i'n gneud hynny'n tshiampion nes i ryw ddili-do ddŵad a fy neffro i. Be wyt ti isio, Gelli?'

'Sut siâp sydd ar dy draed di?' gofynnodd Alun.

'Be?'

Rhythodd Tecwyn arno. Doedd o ddim wedi disgwyl hyn. O'r holl gwestiynau dwl.

'Dy draed di,' meddai Alun eto. 'Sut olwg sydd arnyn nhw?'

'O, cer o'ma, Gelli, wnei di?' Trodd Tecwyn i ffwrdd oddi wrtho, ond trodd yn ei ôl yn biwis wrth i Alun ei bwnio.

'Dwi o ddifri, Tecs. Sut olwg sydd ar dy draed di?'

Ochneidiodd Tecwyn. 'Does wbod. Rhywbeth tebyg i draed pawb arall, mae'n debyg. Mi fasa'n help taswn i'n gallu eu teimlo nhw.'

'Yn hollol.'

Edrychodd Alun i lawr ar draed Tecwyn. Roedd lledr ei fotasau wedi crebachu ac yn gwasgu'n dynn am ei draed.

'Tynna dy fotasau, Tecs.'

'Dos o'ma, wnei di, Gelli?'

'Na wna i. Tyrd. Tynna nhw.'

Gwgodd Tecwyn arno.

'Gwranda, Tecs. Dwi ddim yn chwarae plant. Pryd wnest ti newid dy sanau ddwytha?'

'Echdoe ... naci, ddoe. Pam?'

''Sgen ti rai glân, sych?'

Unwaith eto, edrychodd Tecwyn i ffwrdd, a thynnodd Alun bâr o sanau gwlân, trwchus o boced ei diwnig.

'Hwda.'

Syllodd Tecwyn ar y sanau.

'Na, ma'n iawn. Dwi'n ... dwi'n disgwyl parsel o adra unrhyw ddydd rŵan.'

Ond methai'n glir â thynnu ei lygaid oddi ar y sanau.

'Wel, gwisga'r rhain yn y cyfamser,' meddai Alun.

Yn araf, edrychodd Tecwyn i fyny nes ei fod o'n syllu i fyw llygaid Alun.

'Be amdanat ti?'

'Mae gen i bâr arall.'

'Ti'n siŵr?'

'Yn berffaith siŵr. Hwda.' Gwthiodd Alun y sanau i law Tecwyn. 'Galwa nhw'n anrheg Nadolig.'

Roedd Tecwyn yn rhythu ar ei law fel pe na bai o'n gallu deall beth oedd ganddo ynddi.

'Dolig?' meddai. 'Ydi hi'n Ddolig?'

'Wel, ydi! Ac rydan ni i gyd am gael cerdyn Dolig oddi wrth y Brenin, pob un wan jac ohonan ni. Tydan ni'n hogiau lwcus!'

Dechreuodd Alun chwerthin, ond yna sylweddolodd gyda chryn dipyn o fraw: Nefi wen, ma' hwn o ddifri. Ffrwydrodd dwy siel arall yn weddol agos atyn nhw ond roedd Tecwyn yn brysur yn troi'r sanau drosodd a throsodd rhwng ei ddwylo.

'Dolig,' meddai.

'Ia, fory. Mi fydd hi'n Ddolig fory, Tecs. Ymhen ychydig oriau.'

'Gawn ni fynd adra felly?'

'Go brin, achan.'

'Ond mi ddeudon nhw ... roedd pawb yn deud, yn doeddan? Y basa hyn i gyd drosodd erbyn Dolig.'

'Oeddan. Ond ... wel, dydi hi ddim yn edrych felly, mae arna i ofn. Ond ...wyddost ti byth ...' gorffennodd Alun yn llipa.

Edrychodd Tecwyn i fyny. Yna gwenodd wên lydan, annisgwyl, o glust i glust fel tasa fo wedi cael modd i fyw.

'Na wyddost! Mae hynny'n ddigon gwir, Gelli. Wyddost ti byth.'

Dawel Nos

Gartref
Noswyl Nadolig, 1914

Roedd Megan yn eistedd i fyny yn ei gwely gyda siôl am ei hysgwyddau a channwyll yn llosgi ar ben y cwpwrdd wrth ei gwely pan glywodd sŵn traed trwm Dei yn dod i fyny'r grisiau. Heno, fodd bynnag, yn hytrach na tharanu heibio i'r ystafell a rannai Dei gydag Islwyn, arhosodd y traed y tu allan i ddrws Megan.

'Ia?' galwodd Megan.

Brathodd Dei ei ben i mewn i'r ystafell. Dawnsiai cysgodion y dodrefn yn feddw wrth i'r drafft anwesu fflam cannwyll Megan.

'Un ai tyrd i mewn neu dos i dy wely,' meddai Megan. 'A chau'r drws yna. Dwi'n fferru yma fel mae hi.'

Petrusodd Dei cyn dod i mewn, cau'r drws ac eistedd ar droed y gwely. Fel delw, meddyliodd Megan, oherwydd aeth dros ddau funud heibio cyn i Dei ddweud gair. O'r diwedd, meddai: 'Roedd hi'n od heno, yn doedd? Peidio mynd i'r capel ar noswyl Dolig.'

'Go brin mai ni oedd yr unig rai i gadw draw.'

'Roedd o'n llawn dop, serch hynny,' meddai Dei.

'Be? Est ti yno?'

Ysgydwodd Dei ei ben. 'Dim ond cerdded heibio.'

Ar ôl swper roedd Dei wedi codi a mynd allan heb ddweud gair wrth neb. Dim byd newydd. Byddai'n dod adref gan amlaf ar ôl i Megan a'i rhieni fynd i'w gwelyau, yn drewi o gwrw.

Ond doedd dim oglau diod arno heno, sylwodd Megan.

'Sut mae pobol yn gallu stumogi gwrando ar y dyn yna'n gweddïo dros yr hogiau sydd draw yn Ffrainc, ac yntau'n gyfrifol am hel cymaint ohonyn nhw yno?' meddai.

'Ia, o'r gorau, Meg.'

Bu tawelwch rhwng y ddau am ychydig eto.

'Be wnest ti heno 'ma, felly?' gofynnodd Megan.

Cododd Dei ei ysgwyddau. 'Fawr ddim. Dim ond cerdded o gwmpas.'

Tawodd eto. Arhosodd Megan yn ddiamynedd. Gwyddai nad dod yma er mwyn trafod y capel a wnaeth Dei – ac roedd ganddi syniad reit dda beth oedd ganddo ar ei feddwl.

'Rwyt ti'n benderfynol, felly?' meddai ei brawd ymhen hir a hwyr.

'Ydw, tad.'

'Maen nhw'n deud ...'

'Be?'

'Falla bydd y cwbwl ar ben erbyn y gwanwyn. Erbyn i chdi gyrraedd yno, y peth cynta wnân nhw fydd dy hel di'n ôl adra.'

Torrodd Megan ar ei draws. 'Dei, does 'na ddim llawer ers pan oeddan nhw'n deud y basa'r rhyfel drosodd erbyn Dolig. Gwatsia di, erbyn y gwanwyn mi fyddan nhw wedi newid eu meddyliau eto, a deud mai Dolig nesa fydd hi. Ac erbyn hynny ... wel, does wbod, y ffordd mae pethau'n mynd.'

'Rwyt ti am fynd, felly?'

'Yndw.'

'Sut wyt ti'n meddwl mae hyn yn gneud i mi deimlo?' gofynnodd Dei.

Aeth Dei yn ei flaen cyn iddi fedru ei ateb.

'Wnest ti ddim meddwl, naddo, Meg? Ddim amdana i.'

Edrychodd Megan i lawr ar gwilt y gwely. Nag oedd, doedd hi ddim wedi ystyried teimladau Dei o gwbwl pan aeth i'w chynnig ei hun i wasanaeth y VAD. Dim ond pan welodd hi wyneb Dei wrth iddi wneud ei chyhoeddiad i'w theulu ddyddiau ynghynt y sylweddolodd fel y byddai ei brawd yn sicr o deimlo hyn i'r byw.

A dyma fo'n cadarnhau hynny, a'i bwysleisio.

'Duw a ŵyr, mae digon o bobol yn sbio arna i fel taswn i'n lwmp o faw ci fel mae hi – hogyn 'tebol fel fi'n dal i fod yma, adra'n saff, tra mae eu meibion nhw i ffwrdd yn ymladd.'

'Oes 'na rywun wedi deud rhywbeth wrthat ti, Dei?'

''Sdim raid iddyn nhw ddeud dim byd, siŵr – mae o yno i'w weld yn blaen ar eu wynebau nhw. Dylwn i fod yno efo fy mrawd – dyna be sy wedi'i sgwennu arnyn nhw. A wyddost ti be, Meg? Maen nhw'n iawn, yn llygad eu lle. Dylwn i fod yno, yn lle gadael i Islwyn neud fy nyletswydd i drosta i.'

Cododd yn ddirybudd a mynd at y drws. 'A dyma fi rŵan yn gadael i fy chwaer fach fynd yno yn fy lle i.'

'O, tyrd, nid dyna be ...'

'Dyna be fydd pawb yn ei feddwl, ac yn ei ddeud,' meddai Dei ar ei thraws. 'Felly, diolch, Meg. Diolch yn fawr.' Agorodd y drws. 'O – a Dolig llawen!'

*

Roedden nhw'n dweud bod sŵn y gynnau mawrion yn tanio yn Ffrainc i'w glywed yn rhai siroedd yn Lloegr. Er bod y peth yn amhosib, meddyliai Megan ei bod hithau hefyd yn gallu eu clywed nhw o'i hystafell wely yn Allt Wen, fel taranau pell yn cael eu cludo gan y gwynt.

Dolig llawen.

Ni fedrai hi gael gwared ar eiriau olaf, chwerw Dei o'i meddwl. Arferai Megan edrych ymlaen at bob Nadolig, ond nid eleni, wrth reswm. Go brin fod yna neb yn edrych ymlaen ryw lawer at y Nadolig hwn, er gwaetha'r ffaith fod y llywodraeth, drwy gyfrwng y papurau newydd, yn dweud wrth bawb am fwynhau'r ŵyl, ei bod yn ddyletswydd ar bobol i'w thrin fel unrhyw Nadolig arall. Roedd siopau'r dref i gyd yn gwerthu cardiau Nadolig gyda Jac yr Undeb arnyn nhw. Yn hytrach na'r addurniadau traddodiadol, roedd fflagiau'r gwledydd eraill oedd yn ymladd gyda Phrydain yn erbyn yr Almaen ar y pryd – Ffrainc, Rwsia, Gwlad Belg a Siapan – i'w gweld yn amlwg ar y cardiau.

Er gwaetha'r oerni, cododd Megan a mynd i sefyll wrth y ffenest. Roedd hyd yn oed y tywydd fel petai'n gwneud ymdrech i ufuddhau i'r llywodraeth drwy geisio edrych mor Nadoligaidd â phosib. Roedd yr awyr yn glir iawn ac yn frith o sêr. Roedd hi'n barugo eto, ac edrychai'r barrug fel haen denau o eira'n wincio arni oddi ar y cloddiau a llawr y buarth oddi tani. Roedd Megan yn hanner disgwyl gweld plu gwynion, bychain yn syrthio'n dawel dros y cyfan.

Plu gwynion ...

Doedd hi ddim wedi gallu peidio meddwl am 'gyffes' Glesni Williams ers iddi ei chlywed bron i wythnos yn ôl, bellach. Dim rhyfedd fod Jini Tŷ'r Nant wedi poeri arni. 'O, Megan, mae arna i ofn fy mod i wedi gneud rhywbeth ofnadwy, cofia', ac roedd Megan wedi tybio mai rhywbeth cymharol ddibwys oedd ar feddwl Glesni: wedi'r cwbwl, roedd hi'n un am greu rhyw ddrama fawr o'r peth lleiaf.

Ond cafodd ei synnu. Mwy na hynny, cafodd andros o fraw, cymaint felly nes iddi deimlo'n swp sâl, ac os oedd Glesni wedi cyfaddef wrthi yn y gobaith y byddai Megan yn cydymdeimlo â hi, yna cafodd andros o siom oherwydd daeth Megan o fewn trwch blewyn i roi slaes iawn iddi ar draws ei hwyneb.

Ceisiodd Glesni ddweud mai'r merched eraill oedd wedi'i herio i roi'r bluen i Tecwyn, eu bod nhw i gyd wedi rhoi rhai eisoes i nifer o hogiau'r dref. Ond roedd hyn – yr ymdrech ddigalon yma i feio pobol eraill – wedi gwylltio Megan yn fwy.

'Y chdi a dy dad,' meddai wrth Glesni, 'llathen o'r un brethyn ydach chi! Mae hwnnw'n ei alw'i hun yn fugail, ond pa fath o fugail sy'n gneud ei orau i anfon ei braidd i'r lladd-dy? A hyd y gwyddost ti, rwyt tithau wedi gneud yr un peth i Tecwyn druan! A phaid ti â meiddio igian crio yn fan 'ma gan drio deud wrtha i dy fod yn difaru dy enaid, dy fod yn gweddïo bob nos y bydd Tecwyn yn dŵad adra'n saff. Dim ond isio gweld hynny'n digwydd er mwyn cael rhywfaint o eli ar dy gydwybod wyt ti!'

Roedd Glesni wedi troi a rhedeg am adref, yn un swp o ddagrau, ac roedd Megan wedi cychwyn yn ôl tua'r dafarn efo'r bwriad o gynnig gair o gysur i Jini Tomos. Ond yna meddyliodd: I be? Pa les wnâi hynny? Mwy na thebyg, doedd ar Jini ddim eisiau i neb wybod fod ei mab wedi cael pluen wen.

Trodd oddi wrth y ffenest a mynd yn ôl i'w gwely. Roedd

ei thraed fel dau dalp o rew. Dywedodd ei phader a diffodd ei channwyll.

Dolig llawen, Is,' sibrydodd. Yna, gan deimlo'r lwmp yn chwyddo yn ei gwddf, 'Dolig llawen, Alun ... a chdithau, Tecwyn bach.'

Claddodd ei hwyneb yn ei gobennydd a chrio'n ddistaw nes i gwsg ei chludo i ffwrdd.

Y tu allan i'r ffenest, cysgai'r nos yn dawel.

'Stille Nacht'

Frelinghien, Gogledd Ffrainc
Noswyl Nadolig, 1914

Roedd rhywun, yn rhywle, yn canu:

> Oh, a little bit of everything
> Got in a tin one day,
> And they packed it up and sealed it
> In a most mysterious way.
> And some Brass Hat came and tasted it,
> And 'Pon me, Sam' says he,
> We shall feed it to the soldiers,
> And we'll call it M. and V.

Bloeddiodd rhywun arall, 'Shut up!' a daeth sŵn chwerthin. Gwenodd Alun. Cyfeirio roedd y gân at y tuniau bwyd a roddai'r fyddin i'r milwyr. 'Cawl Maconochie' oedd yr enw iawn ar gynnwys y tuniau, ond 'M. and V.' oedd o gan y milwyr, sef 'meat and veg'. Dyna beth oedd o yn y bôn: moron, maip a thatws mewn grefi cig – go lew ar ôl cael ei ddwymo ond yn ofnadwy o ddiflas yn oer.

'Mae rhywun yn edrych ymlaen at ei ginio Dolig,' meddai Tecwyn.

Trodd Alun. Roedd y ddau yn eistedd ochr yn ochr yn eu dug-out, yn aros i gael eu galw ar ddyletswydd 'stand-to', ar eu stepiau saethu. Roedden nhw bron â fferru. Ers i'r glaw beidio yn gynharach, roedd rhyw wynt oer a rhewllyd wedi codi.

Heno oedd y tro cyntaf i Tecwyn ddechrau sgwrs a'r tro cyntaf iddo ddewis eistedd wrth ochr Alun. Roedd rhywbeth yn wahanol amdano fo heno, rhywbeth tebyg iawn i sirioldeb: fel petai'n edrych ymlaen at rywbeth, meddyliodd Alun. Droeon, drwy gornel ei lygad, roedd o wedi cael cip ar Tecwyn yn ciledrych arno, fel tasa fo ar fin dweud rhywbeth ond yna'n newid ei feddwl y funud olaf bob tro.

'Gwranda,' meddai Tecwyn. 'Dwi isio diolch i chdi, Gelli.'

Edrychai'n syth o'i flaen wrth siarad. Dydi hyn ddim yn hawdd iddo fo, meddyliodd Alun.

'Am be, dywed?'

'Y sanau.'

'O. 'Sdim isio i chdi, tad.'

'Wel, diolch, beth bynnag.'

'Croeso.'

'Mi gei di nhw 'nôl, cyn gynted ag y byddan ni'n ôl adra.'

Edrychodd Alun arno eto. Roedd Tecwyn yn nodio iddo'i hun ac roedd gwên fechan ar ei wyneb. Teimlodd Alun rywbeth yn troi'r tu mewn iddo.

'Adra ar lîf, wyt ti'n ei feddwl?' gofynnodd yn bwyllog.

'Lîf? Chawn ni ddim lîf rŵan, na chawn.'

'Na chawn?'

'Wel, i be?' Chwarddodd Tecwyn – rhywbeth arall nad oedd Alun wedi'i weld o'n ei wneud ers ... ers ... wel, ni allai gofio ers pryd. 'A ninnau ar fin cael ein hel adra am byth?'

O, Dduw mawr, meddyliodd Alun.

'Tecs,' meddai. 'Gwranda.'

'Ia, wn i. Does yna ddim smic i'w glywed, nag oes?'

'Be? Nag oes, ond ...'

'Ma'r saethu wedi peidio.'

'Wel, am ryw hyd, yndi. Tecs, gwranda ...'

'Ro'n i'n sâl fel ci ar y ffordd draw yma, 'sti. Oeddat ti?'

'Be?'

'Ar y llong. Yn chwydu 'mherfedd allan.'

'O. A finnau.'

Edrychodd Tecwyn arno. 'Oeddat ti? Go iawn?'

'Roeddan ni i gyd,' meddai Alun. 'Roedd hi'n dywydd garw arnon ni'n croesi. Roedd stumogau pawb yn troi.'

'Argol, mae hi'n oer!' Cododd Tecwyn yn ddirybudd a sathru'r ddaear a fflapio'i freichiau. Yna meddai, 'Roedd y môr fel gwydr pan groeson ni. Ond dyna lle ro'n i, yn swp sâl.'

'Wel, go brin mai chdi oedd yr unig un,' meddai Alun.

'Hyd y gwelwn i, ia. Fi oedd yr unig un,' meddai Tecwyn. 'Roedd pawb arall yn cael hwyl am fy mhen i. Mi wnes i jôc o'r peth, Gelli, a deud y byddwn i'n cael pwys yn fy mol dim ond wrth daro fy llygad ar Lyn Cwellyn.'

Roedd Tecwyn wedi llonyddu ac yn syllu arno'n herfeiddiol rywsut.

'Ofn oedd arna i, Gelli,' meddai. 'Nid sâl môr o gwbwl, ond ofn.'

'O.' Doedd Alun ddim yn gwybod ble i'w roi ei hun. Pam roedd Tecwyn yn dweud hyn wrtho heno? 'Roedd hynny'n ddigon naturiol, Tecs, dim ond i'w ddisgwyl.'

Ysgydwodd Tecwyn ei ben yn ddiamynedd.

'Dwyt ti ddim yn dallt.'

Dychwelodd i'r dug-out a symudodd Alun i'r ochr i wneud

lle iddo: byddai Tecwyn wastad yn eistedd a'i gluniau mawrion ar led. Argol, mae hwn yn fawr! meddyliodd Alun gan gofio'n ôl i'r diwrnod hwnnw ar Gae Pen-rhos pan fyrlymodd Tecwyn drosto fel tirlithriad.

'Dwi wedi bod yn ofni'r rhyfel yma ers blynyddoedd,' meddai Tecwyn.

Dechreuodd Alun nodio cyn sylweddoli beth roedd Tecwyn newydd ei ddweud. Trodd ato.

'Blynyddoedd? Ond ... dim ond ers mis Awst ma'r rhyfel yma wedi dechrau.'

'Wn i, wn i.' Cododd Tecwyn ei law'n ddiamynedd. 'Y rhyfel yma neu un arall, unrhyw un arall.' Edrychodd ar Alun. 'Ers pan oeddan ni'n blant, Alun. Ti'n dallt rŵan?'

'Dwi'n dechrau dallt, dwi'n meddwl, Tecs,' meddai'n dawel.

Nodiodd Tecwyn. Roedd ei lygaid wedi'u hoelio ar wyneb Alun.

'Faint oedd ein hoed ni, dywed – deg?'

'Ia. Deg oed.'

Er gwaetha'r gwynt oer a lifai drwy'r ffos, er gwaetha'r mwd a oedd wedi rhewi'n gorn dan eu traed, roedd y ddau ohonyn nhw'n ôl yn y goedwig a haul Gorffennaf yn taro'n boeth a'r coed yn llonydd ac yn ddistaw uwch eu pennau.

A'r hen dŷ hwnnw'n aros amdanyn nhw.

'Es i ddim ar gyfyl y lle wedyn,' meddai Tecwyn. 'Est ti?'

'Naddo.'

'Ond mi wnest ti sgwennu rhyw farddoniaeth amdano fo.'

'Doedd dim raid i mi fynd yn ôl yno i fedru gneud hynny, Tecs.'

'Nag oedd, mwn.' Crynodd Tecwyn, a gwyddai Alun nad oerni'r ffos oedd yn gyfrifol am y cryndod. 'Ti'n cofio pan ddoist ti draw acw i chwilio amdana i ryw wythnos ar ôl hynny?'

'Roeddat ti'n golchi poteli, os dwi'n cofio'n iawn.'

'Mi ddeudis i gelwyddau wrthat ti,' meddai Tecwyn. 'Mi ofynnist ti i mi o'n i wedi gweld rhywbeth yn yr hen le hwnnw ... ac mi ddeudis i, naddo, welis i ddim byd, mai dim ond tynnu arnat ti ro'n i. Ti'n cofio?'

'Yndw,' meddai Alun.

Aeth Tecwyn yn dawel eto.

'Be welist ti, Tecs?' gofynnodd Alun.

'Roedd o tu ôl i chdi, Alun. Dim ond chdi oedd yno, a'r eiliad nesa ... roedd o yno.'

'Pwy?'

Chwarddodd Tecwyn gan wneud i Alun neidio – chwerthiniad byr, annisgwyl a swniai'n debycach i gyfarthiad llwynog. Doedd yna ddim tamaid o hiwmor yn perthyn iddi.

'Pwy ... ia, dyna'r peth, yndê. Pwy?'

'Wel?' meddai Alun, ychydig yn biwis.

'Siâp oedd o i ddechrau, dim byd mwy na siâp. Ond wrth i mi edrych ... mi ddaeth o'n fwy solet. Soldiwr oedd o, Alun. Ac roedd ... roedd hanner ei ben o wedi diflannu, a hanner ei wyneb o. Dim byd yno ond rhyw gochni gwlyb, a darnau o asgwrn gwyn yma ac acw, a rhyw hen stwff llwyd, fel uwd ... Ac roedd o'n gwenu, neu'n edrych fel tasa fo'n gwenu. Yn gwenu arna i ...'

'Brenin mawr, Tecs!'

Tro Alun oedd hi i neidio ar ei draed. Teimlai na fedrai

aros wrth ochr Tecwyn un eiliad yn hwy. Syllodd i fyny ar yr awyr, oedd yn un clwstwr anferth o sêr, gan anadlu'n ddwfn. Aeth o leiaf dau funud heibio cyn iddo fedru troi'n ôl ac edrych ar Tecwyn. Roedd o wedi gobeithio – wedi gweddïo – y byddai'n gweld gwên bryfoclyd lydan ar ei wyneb, ond na: roedd wyneb Tecwyn yn hollol ddifrifol, ac roedd ei lygaid yn sgleinio'n wlyb.

'Rwyt ti yn fy nghoelio i, yn dwyt?'

Caeodd Alun ei lygaid.

'Ydw, Tecs,' meddai. Agorodd ei lygaid. 'Ond pam na ddeudist ti wrtha i?'

'Mi wnes i drio, ond ... wel, cyn i mi sylweddoli 'mod i'n gneud hynny, mi o'n i'n rhedeg am fy mywyd drwy'r goedwig.'

'Wedyn, dwi'n feddwl. Pan ddois i Dŷ'r Nant i chwilio amdanat ti.'

Edrychodd Tecwyn i lawr. 'Ro'n i wedi dechrau meddwl mai gweld pethau o'n i. Dyna be o'n i isio'i feddwl, Alun. Neu efallai mai dim ond rhyw hen dramp oedd o. Ac ...'

'Be, Tecwyn?'

'Roedd yn haws deud mai dim ond tynnu dy goes di o'n i, reit? Yn haws na chyfadde fy mod i wedi'i heglu hi oddi yno, gan dy adael di yno ar dy ben dy hun.' Edrychodd i fyny o'r diwedd. 'Cofia mai dim ond deg oed oeddan ni, Gelli. Roedd arna i ofn i ti ddeud wrth yr hogiau eraill, yn yr ysgol, ofn y basan nhw wedyn yn gneud hwyl am fy mhen i.'

'Faswn i ddim wedi deud wrth neb, siŵr. Wnes i ddim deud wrth neb.'

'Naddo, wn i. Ond ro'n i'n dal i'w weld o, 'sti. Yn fy meddwl. Bob tro ro'n i'n sbio arnat ti – roedd dy weld di'n ddigon i ddŵad â'r holl beth yn ôl. Hyd yn oed, wel, rŵan. Ar ôl i ni dyfu i fyny.'

'Mewn iwnifform, meddet ti? Un henffasiwn, felly? Tiwnig goch, a ballu?'

Ysgydwodd Tecs ei ben. Roedd yna haen denau o chwys wedi ymddangos ar ei wyneb a'i dalcen.

'Nage,' meddai. 'Un fel hon ... hon s'gynnon ni. Y dillad caci 'ma.'

Fedrai o ddim edrych i lygaid Alun. Roedd rhagor i ddod, synhwyrodd hwnnw.

'Be, Tecs?'

Ysgydwodd Tecwyn ei ben.

'Tecs, tyrd. Ti wedi deud y rhan fwya. Be sy?'

Heb sbio i fyny, meddai Tecwyn: 'Dwi ... dwi wedi'i weld o wedyn, 'sti.'

'Be?'

'Droeon. Heb y gwaed a ballu, ond ... fo oedd o. Ydi o ...'

'Lle, Tecs? Lle welist ti o?'

Siaradodd Tecwyn mor ddistaw nes bod Alun yn cael trafferth i'w glywed.

'Yn y drych,' meddai.

Rhythodd Alun arno eto. 'Be ti'n feddwl? Y tu ôl i chdi, fel roedd o'r tu ôl i mi?'

'Nage.' Edrychodd Tecwyn i fyny eto. 'Dim ond fi oedd yn y drych. Fi oedd o, Alun. Fi oedd y soldiwr hwnnw.'

*

'Stand-to! Stand-to!'

Fel un mewn breuddwyd, dringodd Alun ar ei stepen saethu. Safai Tecwyn ar yr un nesaf ato. Gwyddai Alun mai dros Dir Neb roedd o i fod yn syllu, ond mynnai ei ben droi ddigon iddo fedru edrych ar Tecwyn drwy gornel ei lygad.

Argol fawr! meddyliodd, dro ar ôl tro. Argol fawr! Dim rhyfedd fod ar y creadur ofn. Ond oedd o wedi gweld rhyw fath o ddrychiolaeth go iawn – ynteu wedi dychmygu'r cwbl roedd o?

Ond does dim ots am hynny, meddai wrtho'i hun. Yr hyn sy'n bwysig ydi fod Tecwyn yn credu iddo weld rhywbeth ofnadwy yn yr hen dŷ hwnnw, ac yn credu ei fod o'n dal i'w weld o bob tro yr edrychai mewn drych.

Ac mi fasa ofn arna inna hefyd, meddyliodd. Yr ofn mwyaf uffernol, ac mae Tecwyn yn hynod o ddewr yn dod ar gyfyl y rhyfel hurt yma – y gêm wallgof hon rhwng gwleidyddion. Yn ddewrach o lawer na'r un ohonon ni.

'Alun!' sibrydodd Tecwyn yn uchel.

Ysgydwodd Alun. 'Be, be sy?'

'Edrycha.'

'Be?'

Craffodd Alun drwy'r twll saethu. Roedd yn noson glir a disgleiriai'r lleuad ar Dir Neb. Sgleiniai'r barrug trwm ar y gwifrau pigog gan roi harddwch rhyfedd iddyn nhw, harddwch nad oedden nhw'n ei haeddu.

'Weli di nhw?'

'Wela i be?'

Yna deallodd Alun. Yn y pellter, yr ochr draw i Dir Neb,

roedd yna oleuadau bychain i'w gweld. Sgrialodd Alun am ei sbeinglas.

'Nefi wen!'

'Ia,' meddai Tecwyn. 'Coed Dolig. Mae gan y Jyrmans goed Dolig, myn diain i. Goeli di'r fath beth?'

Yna daeth bloedd uchel o ffosydd yr Almaenwyr.

'Be oedd hynna?'

'Dyn a ŵyr.'

Daeth y floedd eto, ychydig yn uwch y tro hwn.

'Tommy! *Fröhliche Weihnachten!*'

'Be gythral oedd hynna?' meddai Alun.

'Hisht! Gweiddi arnon ni maen nhw.'

'Tommy! Happy Christmas, Tommy!' bloeddiodd y llais eto, a daeth rhagor o leisiau yn ei sgil, i gyd yn gweiddi 'Fröhliche Weihnachten' neu 'Happy Christmas!'

'Dolig llawen!' gwaeddodd Tecwyn ar dop ei lais. 'Happy Christmas to you!'

'Tecwyn!'

'Be haru ti? Mae'n Ddolig. Happy Christmas!' gwaeddodd eto.

Ar hyd y linell, clywodd Alun leisiau milwyr eraill yn gweiddi eu cyfarchion. Nofiodd y lleisiau'n ôl ac ymlaen dros Dir Neb, dan y cynfas o sêr, ac yna, o'r ffosydd Almaenig, clywsant lais yn canu. Un llais, tenor bendigedig, a phob un nodyn cyfarwydd yn glir fel cloch.

'*Stille Nacht, heilige Nacht,*

Alles schläft; einsam wacht ...'

'"Dawel Nos" ydi honna?' meddai Tecwyn.

'Ia. Cofia, carol Almaeneg ydi hi.'

Canodd y tenor anweledig y pennill cyntaf ei hun, ac yna, ymunodd llu o leisiau eraill efo fo ar gyfer yr ail.

'Dowch, hogiau!' gwaeddodd rhywun o rywle ar y linell. 'Siawns na fedr criw o Gymry neud cystal â nhw. Un ... dau ... tri.'

Dechreuodd y Cymry ganu: yr un garol, yr un dôn.

'Dawel nos, sanctaidd yw'r nos,

Cwsg a gerdd waun a rhos ...'

Erbyn iddyn nhw orffen roedd dagrau'n powlio'i lawr wyneb Alun.

Carolau Nadolig. Carolau yn lle clecian gynnau, a'r nos yn fud dros faes y gad.

Y Gêm

Teimlai Alun mai newydd gau ei lygaid roedd o pan gafodd ei ddeffro gan brysurdeb anarferol a lleisiau byrlymus.

O, be rŵan? meddyliodd. Yna cofiodd. Wrth gwrs, mae'n fore Nadolig.

Ceisiodd Alun frwydro yn erbyn yr hiraeth oedd yn ei lethu drwy godi a mynd i ddefnyddio'r tŷ bach. Ei ddefnyddio'n frysiog iawn, hefyd. Nid llefydd i dindroi ynddyn nhw oedd y tai bach. Tyllau yn y ddaear oedden nhw, a thyllau drewllyd ar y naw a hynod o afiach. Yn ogystal â drewdod yr ysgarthion roedd arogl y calch poeth a gâi ei luchio dros y baw – arogl oedd yn dod â dŵr i'r llygaid. Un o'r dyletswyddau mwyaf atgas – ac un a ddefnyddid yn aml fel cosb am dorri un o reolau pitw'r fyddin – oedd dyletswydd glanweithdra.

Roedd hi wedi gwawrio'n oer, heulog a chlir, ac ar ei ffordd yn ôl i'r ffos, dychwelodd yr hiraeth. Bore Nadolig oedd un o'r ychydig adegau pan fyddai ei dad yn mynd i'r capel. Cofiai Alun fel y byddai o a'i dad yn cerdded i lawr i Nantfechan (tra byddai Mair a Cadi'n paratoi'r cinio) ar foreau tebyg i hwn, a'u traed yn crenshian dros y rhew a'r barrug fel siwgwr ar ganghennau noeth y gwrychoedd.

Go brin y byddai ei dad yn mynd i'r capel fore heddiw, meddyliodd. Yn ôl y llythyrau a dderbyniai oddi wrth Cadi a

Megan, doedd hyd yn oed Mair ac Anni, mam Megan, ddim yn mynd ar gyfyl y capel pan fyddai Erasmus Williams yno'n cynnal gwasanaeth, a gan fod ei dad am waed y gweinidog ...

Gwyddai Alun fod ei deulu – a Megan – yn sicr o fod yn meddwl cryn dipyn amdano fo heddiw, ac roedd gwybod hynny yn gwneud yr hiraeth yn fwy poenus o lawer. Dyn a ŵyr sut siâp fydd arna i pan fydd yr hogiau a finnau'n agor y parseli o adra sydd yn aros amdanom ni, meddyliodd: mi fyddwn ni i gyd yn beichio crio ar ysgwyddau'n gilydd, debyg.

*

'Hwda – waeth i chdi gael y rhain yn eu lle nhw,' meddai Tecwyn.

Edrychodd Alun i fyny. Prin roedd o'n gallu gweld Tecwyn gan fod ei lygaid mor wlyb. Sychodd nhw'n frysiog a gweld bod llygaid Tecwyn cyn wlyped â rhai Islwyn a'r hogiau eraill o'i gwmpas ar ôl agor eu parseli Nadolig.

'Tecs, dwi mo'u hangen nhw, wir i chdi,' meddai Alun am y sanau roedd Tecwyn yn eu cynnig iddo. 'Cadwa di nhw.'

Yn ei barsel roedd sgarff wlân gynnes, ac wrthi'n dal honno at ei ffroenau yr oedd Alun pan ddaeth Tecwyn ato efo'r sanau.

'Ti'n siŵr?'

'Ydw, tad.'

Amneidiodd Tecwyn tuag at y sgarff. 'Oglau adra, Alun?'

'Ia. Da...damia fo.' Sychodd ei lygaid eto.

'Ac ar y rhain,' meddai Tecwyn am y sanau, gan eu

hogleuo. 'Ond paid â phoeni, mi fyddwn ni 'nôl adra unrhyw ddiwrnod rŵan.'

Edrychodd Alun i ffwrdd. Dwi ddim am ddifetha heddiw iddo fo drwy ddadlau, meddyliodd; does yna ddim arwydd o gwbwl fod y blydi rhyfel yma am orffen yn go fuan.

Os na ddaw yna ryw wyrth o rywle.

'Happy Christmas, Tommy!'

'Diawl, maen nhw wrthi eto, hogiau!' meddai Islwyn. Brysiodd at ochr y ffos a sbecian drwy un o'r tyllau saethu. 'Wel, ar f'enaid i!' ebychodd. 'Dowch – sbiwch ar hyn, myn diain i!'

Heidiodd yr hogiau at y stepiau saethu a sbecian allan dros Dir Neb tuag at ffosydd yr Almaenwyr.

'Nefi!'

''Rargian fawr!'

'Ydi o'n gall, deudwch?'

Yn sefyll allan yn yr awyr agored, wrth ffos yr Almaenwyr, roedd un milwr. Chwifiai faner wen ag un fraich, a daliai'r llall i fyny yn yr awyr er mwyn dangos nad oedd ganddo arf.

Gwaeddodd eto, 'Happy Christmas, *Tommy! Fröhliche Weihnachten!*'

Dringodd milwr arall allan o ffos yr Almaenwyr, a hwnnw hefyd yn chwifio'i freichiau ac yn dymuno Nadolig Llawen ar dop ei lais. Ac un arall ... ac un arall wedyn ... yna tua dwsin ohonyn nhw yr un pryd o wahanol rannau o'r ffos, gan edrych fel petai'r ddaear yn eu gwthio nhw allan.

Yna, dechreuon nhw gerdded yn araf tuag at y Cymry, pob un yn gwenu fel giât ac yn bloeddio cyfarchion yr ŵyl.

A doedd neb yn saethu atyn nhw.

'Dowch, hogiau, be amdani?' meddai Islwyn. Dechreuodd ddringo dros barapet y ffos.

'Islwyn!' siarsiodd rhywun ef.

'Be? Dowch – mae hi'n Ddolig! Cofiwch eich Beibl, go damia chi. "Gogoniant yn y goruchaf i Dduw, ac ar y ddaear tangnefedd, i ddynion ewyllys da."'

Ac allan â fo, dros y top, gan weiddi 'Happy Christmas!"

Sbardunodd y geiriau nifer o'r hogiau, Alun a Tecwyn yn eu plith, ac i fyny â nhw. Ceisiodd un swyddog eu rhwystro ond doedd dim llawer o frath yn ei lais, a gan godi'i ysgwyddau, dilynodd yntau nhw i fyny ac allan ar Dir Neb.

*

'Heinrich,' meddai'r Almaenwr.

'Alun.'

'Al-lîn?'

Nodiodd Alun gan wenu: fe wnâi "Al-lîn" yn tshiampion. Roedd o fel tasa fo'n methu *peidio* â gwenu, a hynny o glust i glust, fel petai'r dieithryn llwyr hwn yn hen, hen gyfaill mynwesol iddo.

Mae'n siŵr fod y creadur yn meddwl fy mod i'n drysu, meddyliodd. Ond roedd yr Almaenwr – Heinrich – hefyd yn gwenu fel giât, a pham lai? Ddoe, roedden nhw i gyd yn gwneud eu gorau glas i ladd ei gilydd. Ond heddiw, dyma nhw reit yng nghanol Tir Neb: yn ysgwyd dwylo ac yn curo'i gilydd ar eu cefnau, yn gwenu fel ffyliaid ar ei gilydd ac yn cyfnewid danteithion a sigaréts a chyfarchion Nadolig. Roedd iwnifforms *khaki* brown y Prydeinwyr a rhai llwyd yr

Almaenwyr yn troi a throsi ymysg ei gilydd, a nifer yn bloeddio chwerthin. Cafodd Alun gip ar Tecwyn yn ysgwyd llaw ag Almaenwr oedd bron mor fawr â fo.

Cofiodd Alun am y gerdd honno a anfonodd at Megan tua phythefnos cynt, yn sôn amdano'n dod wyneb yn wyneb â'r gelyn, ac yn sylweddoli mai rhywun hollol gyffredin fel fo oedd o wedi'r cwbwl – rhywun oedd yr un mor ofnus, hiraethus a choll. A rŵan, dyma lle roedd o'n ysgwyd llaw â'r gelyn hwnnw, a'r ddau ohonyn nhw'n chwerthin am ben ymdrechion ei gilydd i ddweud 'Nadolig llawen' yn ieithoedd ei gilydd.

Roedd Mair wedi anfon chwe phwdin Nadolig bychan iddo yn ei barsel, ac roedd o newydd roi un ohonyn nhw i Heinrich.

'Pwdin plwm,' meddai wrtho, gan rwbio'i fol. 'Mmmm ... *good.*'

'*Gut, ja?*'

'Ia! *Gut* ... da iawn, *very good.*'

Cafodd rywbeth a edrychai fel selsigen yn ôl.

'Gutte?'

Nodiodd Heinrich a gwenu. '*Ja! Sehr Gut!*'

Estynnodd Heinrich ei waled o boced ei diwnig a thynnu llun allan ohoni: llun ffurfiol, wedi'i dynnu mewn stiwdio, o ddyn a dynes canol oed. Roedd y ddynes yn eistedd ar gadair a'r dyn y tu ôl iddi â'i law yn gorffwys ar ei hysgwydd. Syllai'r ddau'n ofnus, rywsut, ar y camera fel petaen nhw'n hanner disgwyl i'r ffotograffydd eu saethu.

'*Meine Eltern.*'

'O, ia?'

'*Ja. Mein Vater ... meine Mutter.*'

Tynnodd Alun lun o Gwilym, Mair, Cadi ac yntau o'i waled. Hen lun oedd o, wedi'i dynnu yn y dref pan oedd o'n saith a Cadi'n bump oed.

'*Schwester, ja?*' meddai Heinrich am Cadi.

'Ia,' atebodd Alun, gan gymryd mai dyna oedd y gair am chwaer. Pwyntiodd Heinrich at Alun yn y llun, a chwerthin. '*Sie!*' meddai gan edrych yn ôl ac ymlaen rhwng y ddau Alun: llinyn trôns oedd o hyd yn oed yn y dyddiau hynny.

Digwyddodd hyn gyda sawl milwr: Dieter, Ernst, Maximilian, Pieter, Ralf – gormod o lawer i Alun fedru eu cofio i gyd. Bu llawer o gyfnewid anrhegion ymhlith y milwyr: sigârs Almaenig am duniau o bwli biff, er enghraifft, pethau roedd y milwyr Prydeinig yn falch o gael gwared arnyn nhw.

Yna daeth sŵn chwiban. Rhyw swyddog hunanbwysig ar ei ffordd i ddifetha'r hwyl, mae'n siŵr, meddyliodd Alun.

Ond pan drodd, gwelodd – ia – mai swyddog oedd yno, ond bod hwn hefyd yn gwenu fel giât ac yn cario pêl-droed dan ei gesail.

*

Doedd Tecwyn erioed wedi sgorio gôl. Doedd o ddim wedi sôn gair wrth neb, ond un o'i freuddwydion oedd cael gweld pêl a giciwyd ganddo fo'n hedfan fel gwennol rhwng pyst gôl y tîm arall. Ond, oherwydd ei faint, câi ei sodro yng nghanol y cae bob tro. Roedd o'n un arbennig am rwystro chwaraewyr eraill rhag sgorio – yn enwedig ar ôl iddo droi'n Darw'r Nant – ond doedd o ddim yn symud yn ddigon cyflym i fynd â'r bêl efo fo ar hyd y cae a'i chicio heibio'r gôl-geidwad.

'Ydi'r Tarw am fihafio'i hun heddiw?' gofynnodd Islwyn Allt Wen iddo ar ddechrau'r gêm yn erbyn yr Almaenwyr. 'Dydan ni ddim isio i'r gêm yma droi'n ffeit.' Peth digrif i'w ddweud, meddyliodd Tecwyn wedyn.

'Mi neith ei orau,' atebodd Tecwyn, ateb na roddodd fawr o gysur i Islwyn.

Rywsut neu'i gilydd, roedd y milwyr wedi llwyddo i glirio digon o le ar Dir Neb iddyn nhw fedru cynnal gêm bêl-droed o ryw fath. Roedd wyneb y ddaear fel craig, oherwydd yr oerfel, a bwndeli o gotiau mawr oedd pyst y ddwy gôl. Ond diawch erioed, meddyliodd Tecwyn, rydan ni yma, rydan ni'n fyw ac yn iach, mae'n ddiwrnod Dolig – ac mae gynnon ni bêl.

A chyn bo hir, mi gawn ni fynd adra. Mae'r rhyfel drosodd, i bob pwrpas, yn dydi? On'd ydi heddiw wedi dangos hynny?

Roedd gan dîm yr Almaenwyr eu tarw eu hunain, sef y milwr y bu Tecwyn yn ysgwyd llaw efo fo'n gynharach – clamp o hogyn o'r enw Reinhard, cofiai. Tybed pwy fasa'n dal i fod ar ei draed tasan ni'n dau'n penderfynu rhuthro i mewn i'n gilydd? meddyliodd. Gyda lwc, fyddai ddim raid i hynny ddigwydd.

Dechreuodd y gêm ar ganiad chwiban y swyddog Almaenig, a daeth yn amlwg o'r cychwyn cyntaf fod yr Almaenwyr yn dipyn gwell chwaraewyr na'r Prydeinwyr. Wel, chwarae teg, meddai Tecwyn wrtho'i hun, rhyw gasgliad digon chwit-chwat, ffwrdd-â-hi ydi ein tîm ni. Tasa hogiau Nantfechan i gyd yma, buan iawn y basan ni'n setlo'r Jyrmans 'ma.

Ac wrth iddo feddwl hyn, sgoriodd yr Almaenwyr eu gôl

gyntaf, ac o'r ffordd roedden nhw'n neidio mewn llawenydd, byddai rhywun yn meddwl eu bod nhw newydd glywed eu bod nhw wedi ennill y rhyfel. Ysgwyd llaw mawr efo'r milwyr Cymraeg wedyn – dyma bobol gyfeillgar ar y naw, meddyliodd Tecwyn. Ar ôl mynd adra, dwi am roi'r gorau i chwarae'n fudur. Caiff y Tarw ei gladdu am byth, a dwi am gynnig bod tîm Nantfechan yn troi'n dîm cwrtais, bonheddig.

Roedd Alun wrth ei fodd. Mae amryw o'r rhain yn gwbod be maen nhw'n ei neud, meddyliodd, ac yn amlwg wedi arfer chwarae'n rheolaidd gartref yn yr Almaen. Ac mae hynny'n fwy nag y medra i ei ddeud am y rhan fwyaf ohonom ni, a does dim clem gan Islwyn druan.

Yna rhoddodd Islwyn gic galed i'r bêl, a chododd honno'n uchel a dod i gyfeiriad Alun. Roedd o wedi codi'r bêl yn gynharach, ar ddechrau'r gêm, a gwyddai nad oedd hi'n un galed, drom – yn ddim byd tebyg i'r anghenfil honno o bêl a ddaeth yn agos at dorri ei droed flynyddoedd yn ôl.

Dwi am fentro penio hon, meddai wrtho'i hun. Ond roedd clwstwr o filwyr yr Almaen o'i gwmpas, pob un ohonyn nhw efo'r un syniad wrth iddyn nhw wylio'r bêl yn dechrau disgyn i lawr tuag atyn nhw.

Reit, rŵan amdani, Gelli, meddyliodd Alun. Gyda'i holl nerth, neidiodd mor uchel ag y medrai. Roedd o wedi sylwi bod Tecwyn Tŷ'r Nant y tu ôl i'r clwstwr o Almaenwyr, a neb arall ar ei gyfyl. Trodd Alun yn yr awyr a phenio'r bêl i gyfeiriad Tecwyn.

'Tecs!' gwaeddodd.

Fel pe bai o prin yn gallu coelio'r hyn a welai, rhythodd Tecwyn ar y bêl wrth iddi fownsio tuag ato. Clywodd lais Alun Gelli'n gweiddi arno.

Tynnodd y Tarw ei droed yn ôl.

Daeth y bêl yn nes ac yn nes ...

... a saethodd troed dde'r Tarw tuag ati. Gwibiodd y bêl oddi wrtho, fel bwled bron, yn isel uwchben y ddaear, ac yna dechreuodd godi, fel hebog, cyn gwibio heibio i wyneb syn gôl-geidwad yr Almaen.

Eiliad o dawelwch, ac yna bloedd uchel o gymeradwyaeth. Edrychodd Tecwyn Tŷ'r Nant o'i gwmpas yn hurt a dim ond pan ruthrodd y milwyr eraill ato i ysgwyd ei law, ei daro ar ei gefn a'i longyfarch, y sylweddolodd fod Tarw Nantfechan wedi sgorio gôl.

O'r diwedd.

Y Bêl

Frelinghien, Gogledd Ffrainc
26 Rhagfyr 1914

Roedd wedi rhewi'n galed eto dros nos, a phan dorrodd y wawr fore trannoeth, gwaedodd dros yr awyr.

'Dydi hi ddim yn edrych yn rhy addawol, Gelli,' meddai Islwyn. 'Rhagor o law fydd ei hanes hi, gei di weld.'

Cytunai Alun. Doedd awyr goch ben bore ddim yn arwydd o dywydd da fel arfer. Ond wedyn, on'd oedd y byd wedi'i droi a'i ben i lawr, tu chwith allan a thu ôl ymlaen dros y misoedd diwethaf? Doedd dim dal ar unrhyw beth bellach, gan gynnwys y tywydd. Gartref yng Nghymru, roedden nhw wedi cael hydref anghyffredin o dyner a sych, ond ei bod wedi bwrw glaw yn ddi-baid ym mis Rhagfyr. Roedd Alun wedi darllen yn un o'r papurau newydd mai'r rhyfel oedd yn cael y bai am hynny, rhyw rwtsh fod gronynnau o bowdwr gwn yn effeithio ar y tywydd ar ôl cael eu ffrwydro ar y Cyfandir.

Er hynny, llwyddodd y wawr i harddu uffern ar y ddaear fel Tir Neb y bore hwnnw. Daeth mwy a mwy ohono i'r golwg wrth i'r goleuni gryfhau, a sylwodd Alun fod y bêl-droed yn dal i orwedd yno, yn ddigon agos iddo fedru gweld bod Siôn Barrug wedi bod yn brysur yn ei phaentio hithau hefyd yn ystod y nos.

'Am faint fydd hyn yn para, wyt ti'n meddwl?' gofynnodd Islwyn. Roedd hi'n hollol dawel – dim saethu na sielio o unrhyw fath.

'Does wbod,' atebodd Alun. 'Dim llawer iawn eto, mi fentra i ddeud.'

'Na,' ochneidiodd Islwyn. 'Ma'n rhyfedd sut mae rhywun yn dŵad i arfer efo'r twrw, yn dydi? Bron iawn na faswn i'n deud bod y distawrwydd yma'n annaturiol – er mai fel hyn mae hi i fod.'

'Ia. Gwna'n fawr ohono fo.'

Ond o leiaf mi gafon ni Ddolig 'Nadoligaidd' o ran tywydd, beth bynnag, meddyliodd Alun. Oedd ddoe wedi digwydd? Roedd o bron iawn fel breuddwyd erbyn heddiw, ac oni bai ei fod o wedi dioddef o'r pwys mwyaf ofnadwy yn ei stumog ar ôl ysmygu un o'r sigârs a gafodd gan un o'r Almaenwyr, byddai'n barod i gredu mai breuddwyd oedd y cyfan.

A'r ffaith fod y bêl yna'n dal i orwedd ar Dir Neb.

Gwenodd wrth gofio am gôl Tecwyn. Coblyn o gôl dda oedd hi hefyd. Ffliwc, efallai, ond doedd dim ots am hynny, nag oedd? Er bod yr Almaenwyr wedi sgorio unwaith eto cyn diwedd y gêm – ac ennill 2–1, cytunai pawb mai gôl Tecwyn Tŷ'r Nant oedd yr orau o'r tair o beth wmbredd.

Ac roedd Tecwyn ar ben ei ddigon, cymaint felly nes ei fod o wedi dechrau mynd ar nerfau'r milwyr eraill.

'Argol fawr, dim ond sgorio gôl wnaeth o,' meddai Islwyn. 'Mi fasat ti'n meddwl ei fod o'n cael mynd adra.'

A dyna'n union be sy'n codi ofn arna i, meddyliodd Alun. Ar ddyletswydd 'stand-to' rhwng saith ac wyth o'r gloch y bore yr oedd Alun ac Islwyn, a phan gawson nhw eu rhyddhau, aeth Alun yn syth i chwilio am Tecwyn.

Daeth o hyd iddo yn y dug-out yn bwyta'r brecwast

arferol o facwn a the, a chyfarchodd o Alun fel petai'r ddau'n cyfarfod mewn caffi yn y dref.

'Wyddost ti be, Alun, mi fasa'n gas gen i gyfarfod y mochyn a roddodd y cig yma i ni. Os mochyn hefyd. Rhywbeth tebyg i'r bwystfilod 'na rydach chi'n eu magu draw yn y Gelli acw, ddeudwn i,' chwarddodd Tecwyn.

Gorffennodd gnoi a golchi'r bwyd i lawr gyda gweddill ei de. 'Ac am y te cythreulig 'ma.'

'Sut wyt ti heddiw, Tecs?' gofynnodd Alun.

'Tshiampion! Edrych ymlaen, yndê, fel pawb arall.'

'At be, felly?'

'At be wyt ti'n meddwl? At fynd o'r lle 'ma.'

'Chlywis i ddim sôn fod hynny am ddigwydd yn y dyfodol agos, Tecs. Oes 'na rywun wedi deud rhywbeth wrthat ti?' gofynnodd Alun.

'Wel, nag oes. Ond diawch, ma'n amlwg, yn dydi? Ar ôl ddoe.'

Ochneidiodd Alun. 'Gwranda, Tecs. Paid ag edrych ymlaen fel hyn at rywbeth sy ddim yn debygol o ddigwydd. Diwrnod anghyffredin iawn oedd ddoe, 'sti. Diwrnod arbennig iawn, ia. Ond yn y gorffennol mae o bellach, a does yna ddim sôn o gwbwl fod y gwallgofrwydd hwn drosodd. Mi fasan ni'n siŵr o fod wedi clywed tasa 'na unrhyw bosibilrwydd o hynny.'

Ond roedd Tecwyn eisoes wedi bod yn ysgwyd ei ben, a gwên amyneddgar ar ei wyneb, fel tasa fo'n gwrando ar blentyn yn rwdlan yn wirion. Cododd ar ei draed.

'Tyrd,' meddai.

Aeth y ddau o'r dug-out ac at ochr y ffos. Dringodd

Tecwyn ar un o'r grisiau saethu a sbecian allan drwy'r twll, gan wneud arwydd ar Alun i ddringo ar y stepen nesaf.

'Drycha,' meddai Tecwyn.

'Be weli di?'

'Dim byd.'

'Yn hollol. A gwranda. Wyt ti'n clywed unrhyw saethu – o unrhyw fath, yn dŵad o unrhyw le?'

'Wel, nac 'dw, ond ...'

Trodd Tecwyn ato. Roedd ei lygaid yn pefrio ac roedd gwên lydan ar ei wyneb.

Gwên rhywun sy o fewn dim o golli'i gof.

'Ti'n gweld? Mae popeth drosodd, Alun! Mae'r rhyfel wedi dod i ben! Roeddan nhw'n iawn – yn deud y gwir wedi'r cwbwl. Mi ddeudon nhw y basa fo i gyd drosodd erbyn Dolig, yn do?'

'Tecs ...'

Trodd Tecwyn oddi wrtho a sbecian drwy'r twll saethu unwaith eto.

'Ma'r hyn ddigwyddodd ddoe wedi dangos iddyn nhw, yn dydi? Wedi dangos nad oes yr un ohonon ni'r hogiau isio rhyfel o unrhyw fath, nad ydan ni isio chwarae eu hen gêm wirion nhw. Mai'r unig gêm rydan ni isio'i chwarae ydi gêm dda o ffwtbol ... ac yli, myn diawl! Ma'r ffyliaid wedi gadael eu pêl ar ôl. Drycha, Alun!'

'Ydyn, wn i, mi welis i hi gynnau,' meddai Alun, ond er mwyn plesio Tecwyn plygodd ac edrych drwy'r twll.

... ac am weddill ei oes, byddai'n meddwl bob un diwrnod: *Taswn i ddim wedi plygu a chraffu drwy'r twll melltigedig yna, falla baswn i wedi gallu rhwystro'r hyn a ddigwyddodd nesa.*

Clywodd sŵn sgrialu wrth ei ochr, ac erbyn iddo gamu'n ôl o'r twll a sythu, roedd Tecwyn wedi dringo i ben y ffos.

'Tecs! Arglwydd mawr, tyrd i lawr, y blydi ffŵl!'

Daeth rhagor o weiddi hyd y ffos wrth i'r milwyr eraill sylweddoli beth oedd yn digwydd.

'Tecwyn!'

Gwenodd Tecwyn i lawr arno. 'Ma'n iawn, siŵr! Be haru ti, Gelli? Mae o drosodd – ddeudis i'n do? 'Dan ni i gyd yn ffrindiau rŵan, mi gafodd hynny ei brofi ddoe.'

Trodd.

'Tecwyn, lle ti'n mynd?'

'Dim ond mynd i gicio pêl yr hogiau'n ôl iddyn nhw,' galwodd Tecwyn dros ei ysgwydd.

Dechreuodd redeg at y bêl, dros wyneb caled Tir Neb. Yn ddi-hid o'r ffaith fod ei ben yntau'n awr i'w weld dros ochr y ffos, gwyliodd Alun ef yn cyrraedd y bêl, plygu a'i chodi. Trodd Tecwyn i wynebu ffos yr Almaenwyr.

'Dyma chi, hogiau!' gwaeddodd.

Cymerodd dri neu bedwar cam yn ei flaen cyn gollwng y bêl a rhoi cic galed iddi, fel gôl-geidwad yn cicio pêl yn ôl i ganol cae. Roedd hi'n anodd dweud a gyrhaeddodd hi'r ffos ai peidio, ond cododd yn go uchel cyn disgyn i lawr ac o'r golwg.

Trodd Tecwyn yn ôl a gan godi'i ddwy law a'u cau dros ei gilydd uwch ei ben yn fuddugoliaethus, neidiodd i fyny ac i lawr mewn dawns fechan ...

... a ffrwydrodd cwmwl mawr coch o'i ben, eiliad cyn i sŵn ergyd reiffl y sneipwr Almaenig glecian yn fyddarol dros dawelwch Tir Neb.

'Tecs!' sgrechiodd Alun wrth weld ei ffrind yn syrthio fel

doli glwt i'r ddaear.

Yr eiliad nesaf roedd yntau wedi sgrialu allan dros ben y ffos. Chlywodd o mo'r lleisiau'n gweiddi arno i ddod yn ei ôl. Igam-ogamodd tuag at y swpyn llonydd oedd yn gorwedd o'i flaen. Gwibiodd rhywbeth poeth fel cacynen biwis heibio'i ben a chlywodd sawl ergyd wrth i'r ddaear boeri mwd caled tuag ato.

Dim ond ychydig lathenni oedd ganddo ar ôl ...

... troedfeddi ...

... a gallai weld bod Tecwyn yn ei wylio'n dod tuag ato oherwydd roedd o'n gwenu arno – gallai Alun weld ei wên.

Yna, teimlodd rywbeth yn ffrwydro drwy'i goes fel petai

rhywun wedi gwthio blaen picell drwyddi â'i holl nerth. Baglodd a syrthio ar ei hyd, droedfedd neu ddwy oddi wrth Tecwyn.

'Be goblyn oedd ar dy ben di?' ceisiodd ddweud, ond roedd rhyw dywyllwch rhyfedd wedi dod o rywle ac yn cau amdano.

Y peth olaf a welodd cyn i'w lygaid gau oedd Tecwyn yn gwenu arno, a hanner ei ben a hanner ei wyneb wedi mynd i rywle.

Epilog

Nantfechan,
Gaeaf 1934

Newidiodd Alun i'w byjamas yn nhywyllwch yr ystafell wely.
Gwnaeth ei orau i wneud hynny'n ddistaw ond roedd ei goes
ddrwg yn ei boeni heno. Tynnodd ei drowsus a disgyn ar ei
eistedd ar droed y gwely.

'Alun, wyt ti'n iawn?'

'Ydw, ydw. Yr hen goes yma, dyna'r cwbwl. Cer yn ôl i
gysgu, Meg.'

Dringodd i mewn i'r gwely wrth ymyl ei wraig.
Gwrandawodd ar anadlu Megan yn setlo'n ôl i rythmau cwsg.
Rhwbiodd Alun ei goes yn ysgafn. Do, mi fuo'n lwcus fod
Islwyn a'r hogiau eraill wedi mentro'u bywydau i'w lusgo fo
'nôl i'r ffos gerfydd ei goler. Mi fuo'n lwcus nad oedd mwd
ffiaidd Tir Neb wedi'i wenwyno ddigon iddo orfod colli ei
goes yn gyfan gwbl. Ac yn fwy na dim, mi oedd yn lwcus ei fod
yn fyw, a llawer o hogiau eraill yr ardal wedi'u claddu mewn
pridd estron.

Gan gynnwys Islwyn, a gafodd ei ladd yng nghoedwig
Mametz yn ystod mis Gorffennaf 1916. Erbyn hynny roedd
Megan draw yn Ffrainc gyda'r VADs, wedi'i hanfon yno, yn
eironig iawn, fis cyn i Alun gyrraedd yn ôl i Brydain. Bu cryn
lythyru rhwng y ddau, ond eu bod bellach wedi newid lle. Fe
briodon nhw yng ngwanwyn 1919, ar ôl i'r rhyfel ddod i ben
ym mis Tachwedd 1918, dros bedair blynedd ar ôl i Alun gael
ei glwyfo. Ganed Huw flwyddyn union ar ôl diwrnod y
briodas.

Trodd Alun ei ben a llithro'i wefusau'n ysgafn dros wallt Megan. Yn ogystal â'i rwystro rhag chwarae pêl-droed eto, roedd yr anaf i'w goes hefyd wedi'i rwystro rhag bod yn fawr o ffermwr. Ond roedd Gwilym a Mair yn dal yn y Gelli, a hyd yn oed Gorwest, er bod hwnnw'n gwrthryfela'n styfnig yn erbyn y ffaith ei fod o'n heneiddio. Roedd Cadi yno hefyd, wedi priodi hogyn o Lanaber a fu'n gweithio am ychydig fel gwas yn y Gelli ar ôl y rhyfel. Aeth Alun, felly, i ffwrdd i'r coleg a hyfforddi i fod yn athro ysgol – roedd prinder mawr o athrawon oherwydd y rhyfel – a bellach roedd o'n arolygydd ysgolion ac yn fardd o fri.

Caeodd ei lygaid, ond methai'n lân â chysgu. Mynnai ei lygaid agor o hyd a chrwydro at y ffenest, oedd yn ysgwyd yn ei ffrâm wrth i'r gwynt hyrddio yn ei herbyn.

Mae o yma eto heno, dwi'n gwbod, meddyliodd. Ond mae'n rhaid i mi godi ac edrych allan yr un fath ... mae'n rhaid i mi.

O'r diwedd, ildiodd. Cododd yn ofalus rhag iddo ddeffro Megan eto a mynd at y ffenest. Tynnodd un o'r llenni i un ochr a sbecian allan.

Oedd, roedd o yno, yn sefyll yn llonydd ac yn syllu i fyny ar ffenest Alun.

Gad lonydd i mi, Tecs. Alli di ddim gadael llonydd i mi, wir Dduw?

Gorffwysodd Alun ei dalcen yn erbyn gwydr y ffenest a chau ei lygaid. Pan agorodd nhw eto, roedd Tecwyn wedi diflannu.

Ond mi fydd yn ei ôl, meddyliodd Alun wrth ddychwelyd

i'w wely at gynhesrwydd Megan. Does dim dwywaith am hynny. Felly y bydd o rŵan nes daw fy nhro innau i ymuno efo fo, bob tro y bydd y gwynt yn llefain o gwmpas y tŷ ac yn cludo lleisiau'r holl hogiau coll yn ôl i'm clyw.

Y Diwedd

Er Gwybodaeth

Chwaraeodd y Ffiwsilwyr
Brenhinol Cymreig ran amlwg
iawn yn y Rhyfel Mawr, 1914-1918.
Cafodd dros 4,000 o filwyr
Cymreig eu lladd neu eu hanafu
ym mrwydr Mametz Wood, 1916.
Mae cofeb, sef cerflun o'r Ddraig
Goch yno heddiw. Collwyd
miloedd eto o fechgyn Cymru ym
mrwydr Passchendaele yn 1917 –

gan gynnwys Bardd y Gadair Ddu, Hedd Wyn o Drawsfynydd.
Ym mis Awst 2014, adeiladwyd cofeb yno er cof am yr holl
Gymry a laddwyd.

Ond yng nghanol y lladd a'r gwastraff, bu un diwrnod o
dawelwch rhyfeddol yn y Rhyfel Mawr. Yr heddwch dewr a
welwyd rhwng milwyr yn y ffosydd ar Ddydd Nadolig 1914
oedd hwnnw.

Roedd milwyr y ddwy ochr dan orchymyn i 'Danio ar y
Gelyn'. Mewn gwirionedd, miwtini oedd cadoediad Nadolig
1914 – penderfynodd y milwyr wrthod ufuddhau i'r uwch
swyddogion a wynebu'r 'gelyn' ar Dir Neb, ysgwyd dwylo,
canu carolau a hyd yn oed chwarae ambell gêm o bêl-droed.
Adroddwyd yr hanes gan sawl milwr mewn llythyrau, a dyma
eiriau un Cymro: '*Roedd y Nadolig yn ddiwrnod hynod yma ...
Gwnaethom â'n gilydd i beidio ymladd a cherddasom 40 llath i
gyfarfod ein gilydd rhwng y ffosydd, a chawsom ymgom ddifyr. Yr
oedd ganddynt hwy ddigonedd o sigarets a meddem ninnau dunelli
o fwyd, ac felly cawsom eu cyfnewid, a threuliasom ddiwrnod
difyr. Ni fuasech byth yn coelio mai gelynion oeddym ...*'

Ar lleg Tachwedd, 2008 dadorchuddiwyd y gofeb yn y llun drosodd, ym mhentref Frelinghien – y gofeb gyntaf i gofio cadoediad Nadolig 1914. Ar y safle hwn, bu cadoediad rhwng Cwmni A o 2il gatrawd y Ffiwsilwyr Cymreig a chatrawd o Almaenwyr o Sacsoni. Dim ond yma, o'r pum can milltir o ffrynt, y bu cytundeb ffurfiol rhwng swyddogion y ddwy ochr – a dyna arbenigrwydd y rhan a chwaraeodd y Cymry yn Heddwch y Nadolig, 1914. Wrth i'r ddwy ochr rannu anrhegion, mae'n debyg bod yr Almaenwyr yn arbennig o hoff o bwdinau Nadolig y Cymry! Wrth ddadorchuddio'r gofeb i nodi'r diwrnod hwnnw o heddwch, roedd gwraig Prif Weinidog Ffrainc yn 2008 yn bresennol – Madame Penelope Fillon, sy'n hannu o'r Fenni yng Nghymru.

Mae sawl gwefan yn disgrifio'r cyfarfodydd heddychol a'r gemau pêl-droed a chwaraewyd i fyny ac i lawr y ffosydd dros gyfnod Nadolig 1914, yn ogystal â chynnig darluniau a disgrifiadau byw iawn o fywyd milwyr cyffredin yno a dyma un ohonynt:

www.christmastruce.co.uk

Nofelau â blas hanes ynddyn nhw

Straeon cyffrous a theimladwy wedi'u seilio ar gyfnodau a digwyddiadau

Gwasg Carreg Gwalch

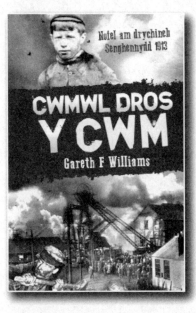

Enillydd Gwobr Tir na-nOg 2014

CWMWL DROS Y CWM
Gareth F. Williams

Nofel am drychineb Senghennydd 1913

Gwasg Carreg Gwalch
£5.99

Ychydig cyn 8.30 y bore ar 14 Hydref 1913, bu farw 439 o ddynion a bechgyn mewn ffrwydrad ofnadwy yng nglofa Senghennydd yn ne Cymru.

Dim ond wyth oed oedd John Williams pan symudodd ef a'i deulu o un o bentrefi chwareli llechi'r gogledd i ardal y pyllau glo. Edrychai ymlaen at ei ben-blwydd yn dair ar ddeg er mwyn cael dechrau gweithio dan ddaear. Ond roedd cwmwl du ar ei ffordd i Senghennydd ...

DARN BACH O BAPUR
Angharad Tomos

Nofel am frwydr teulu'r Beasleys dros y Gymraeg 1952-1960

Gwasg Carreg Gwalch
£5.99

Penderfynodd Trefor ac Eileen Beasley wrthod talu treth ar eu cartref yn Llangennech am fod Cyngor Llanelli yn gwrthod rhoi bil Cymraeg iddyn nhw. Bu storm fawr dros ddarn bach o bapur! Arweiniodd at ddadlau gyda swyddogion a chynghorwyr, achosion llys, dirwyon ac ymweliadau gan y beili a gariodd ddodrefn o'r cartref er mwyn clirio dyledion y teulu. Ac arweiniodd at Gymru newydd lle'r oedd y Gymraeg yn cael parch ac yn cael ei defnyddio fel iaith swyddogol.

Yng nghanol y frwydr, roedd Delyth y ferch wrth ei bodd yn ymarfer chwarae'r piano. Ond yna daeth cnoc y beili ar y drws ...

Nofelau eraill i'w cyhoeddi yn 2015:
Mimosa gan Siân Lewis Taith y Cymry i Batagonia
Paent! gan Angharad Tomos Cymru 1969